D0101948

OOR WULLIE®

POP
2
1
3
KEN.H.HARRISON

D.C Thomson & Co., Ltd, 185 Fleet Street, London EC4A 2HS
Printed in China

IT'S AYE FUN TAE START THE YEAR WI' YOUR FRIENDS AN' FAMILY NEAR.

IT'S HOGMANAY!

I'VE AWFY BAD LUCK ON THE LOTTERY, NEVER WON A SAUSAGE A' YEAR.
RIP!
WELL, YE GET GUID LUCK ALL YEAR IF A TALL DARK MAN IS YER FIRST FOOT.

I'M GOING TAE ASK THE ROVERS' GOALIE TAE FIRST FOOT US. HE'S AWFY TALL AND HAS DARK HAIR.

I'M STILL TALL, WULLIE - BUT I SHAVED AFF MY DARK HAIR FOR CHARITY.
OCH! THAT'S NAE USE.

LATER...
TEN MINUTES TAE THE NEW YEAR. I'LL POUR THE DRINKS. APPLE FOR YOU, WULLIE?
AYE, BUT I'VE JUST REMEMBERED I'VE TAE FEED JEEMIE MY MOOSE.

I HOPE I'M IN TIME.

AYE, RICHT ON TIME.

BULLSEYE!

HALT IN THE NAME OF THE LAW - I KEN WHA YE ARE!

HAPPY NEW YEAR, WULLIE! YE JUST MADE IT.
HAPPY NEW YEAR, SON.

KNOCK!
JINGS! WHA'S THIS?

WHAUR'S WULLIE - I KEN IT WAS HIM THAT KNOCKED MY HAT AFF. IT'S THE MIDDLE O' THE NICHT.

I WANTED YE TAE BE OOR FIRST FOOT, PC MURDOCH - YE'RE TALL AND DARK WHEN YE'RE IN YER UNIFORM.

AND HANDSOME, JOE.
AHEM. WELL THEN, AS THE OFFENCE HAPPENED LAST YEAR WE'LL SAY NAE MAIR ABOOT IT.

HAPPY NEW YEAR TAE ONE AND A'.
LIFE'S FUNNY - I AYE THOUGHT IT WAS UNLUCKY IF MURDOCH CAME TAE YOUR DOOR.

OOR WULLIE SHOULD KEN IT'S A MISTAKE
LEAVIN' BOAB ALONE WI' CHOCOLATE CAKE.

BOAB'S COMING OVER TODAY.

COMIN' DOON THE PARK, WULLIE?
AYE, JUST WAIT IN THE KITCHEN WHILE I FIND MY FITBA.

I THOUGHT I COULD SMELL CHOCOLATE CAKE!

BOAB, WHIT'VE YOU DONE? THAT'S MA'S CAKE.

MA'S GOING TAE BE FURIOUS! SHE BAKED IT FOR HER PALS COMIN' OWER.
DINNAE WORRY – WF CAN MAKE ANOTHER ANE...

...BUT WE MAY AS WEEL FINISH THIS ANE FIRST.

RICHT, IN WI' THE FLOUR AN' EGGS.
AN' THE COCOA POWDER.

CAKES ARE MEANT TAE BE SWEET.
MICHTY – BUT THAT'S A LOT O' SUGAR!

JINGS! MA'S MIXER IS AWFY POWERFUL.
BRRRRRR!

BRAW, THAT'S IT BAKIN'.
WE'LL NEED TAE CLEAN THIS MESS OR MA'LL KEN WHIT HAPPENED.

SOON...
PHEW!
JUST IN TIME, I CAN HEAR MA AT THE DOOR WI' HER PALS.

WILL YE HAE A BIT OF CAKE, MR BROON?
AYE, THANKS. A WEE SLICE WID BE RARE

CRIVVENS! IT'S LIKE CONCRETE. IT'S BROKEN MY BEST CAKE KNIFE.

WULLIE!!!
TIME TAE GO, BOAB – RUN!
THIS DISNAE HAPPEN ON BAKE OFF!

WULLIE'S STILL HIDING...
GRRR!

OOR WULLIE TAKES A TURN AT WRITIN' JIST LIKE RABBIE BURNS.

WE'RE STUDYING RABBIE BURNS AT SCHOOL THIS WEEK.

IF ROBERT BURNS WAS ALIVE TODAY, WHAT WOULD HE WRITE POEMS ABOUT?

I KNOW, MISS.
A CAT - IT CAUGHT THE MOOSE HE WROTE ABOOT AGES AGO.
I DON'T THINK SO, ARCHIBALD.

LOVE, MISS. IT LASTS FOREVER - LIKE THE LOVE I HAVE FOR WILLIAM.
YEUCH! QUIET, YOU.

REMEMBER, BURNS DIDN'T JUST WRITE OF ANIMALS AND LOVE. HE WROTE ABOUT SCOTTISH HEROES LIKE WILLIAM WALLACE AND ROBERT THE BRUCE.

TONI AT THE CHIP SHOP IS A HERO. HE'S SERVING DOUBLE PORTIONS OF CHIPS A' JANUARY.
MAYBE SOMETHING TO AVOID, ROBERT.

MISS, SCOTLAND HAS A NEW HERO THAT RABBIE WID WRITE ABOOT.
TRY A FEW LINES, WILLIAM.

A WARRIOR FRAE DUNBLANE CAM', HEADING FOR A BRAW GRAND SLAM.

ARMED WI' HIS TRUSTY RACKET, AND AN ARM THAT COULD REALLY WHACK IT.

IN RIO FAR FRAE SCOTLAND'S COLD, OOR WARRIOR BROUCHT HAME THE GOLD.

HEADING FOR A
ARMED WI' HIS TRUSTY
AND AN ARM THAT COULD
WHACK IT
IN RIO FAR FRAE SCOTLAND'S COLD
OOR WARRIOR BROUGHT HAME
THE GOLD.
AT WIMBLEDON THE PRIZE
HE GRASPED.
WHILE WE CHEERED AND
ROYALS GASPED

AND NOO OOR HERO IS CRIED SIR ANDY, WHICH WE A' THINK IS FINE AND DANDY.
TAP!

TOP MARKS, WILLIAM. I'M SURE ROBERT BURNS WOULD BE IMPRESSED.

TEACHER IS AS BIG A FAN OF SIR ANDY AS I AM.

OOR WULLIE'S GOIN' GREEN - HIS CARTIE'S AN ELECTRIC MACHINE.

I THINK I'LL GIE MY CARTIE A RUN.

I'LL TAKE IT DOON STOORIE BRAE.

YIKES!
HONK!

MICHTY! I NEVER HEARD YE COMING.
SORRY, LADDIE - IT'S AN ELECTRIC CAR. THEY'RE VERY QUIET.

I'LL REPAIR YOUR CARTIE AT MY GARAGE.

I'VE FITTED YOU WITH A WEE ELECTRIC MOTOR. YOU'LL JUST HAVE TO REMEMBER TAE CHARGE IT UP AFTER YOU'VE BEEN USING IT.
WOW! GREEN POWER IN MY CARTIE.

LOOK AT ME - I DINNA HAE TAE PULL IT UP THE HILLS.

MY CARTIE GOES ALANG SAE QUIET THAT I COULD HAE A LAUGH HERE.
PARP!

MURDOCH HAS STOPPED FOR HIS MORNING SNACK AND HASNAE SPOTTED ME YET.

HA-HA!
HELP MAH BOAB!
PARP!

AND HE'LL NO' CATCH ME BECAUSE I HAE AN ELECTRIC MOTOR. MY GREEN MACHINE IS GETTING CLEAN AWAY!

AW, NAW! I'VE RUN OOT O' CHARGE.
PHUT!

BUT I HAVENAE.

I'M CHARGING YOU WI' FLEGGING AN OFFICER O' THE LAW. HOW DAE YE PLEAD?
GUILTY!

I'VE BEEN BANNED FRAE DRIVING FOR A WEEK.

WULLIE ENJOYS BEIN' LOOKED EFTER - BUT HIS PLANS END IN DISASTER!

I'VE TAE HELP PA CLEAN OOT HIS DEN.

WOW! A FIRST AID KIT.
CHUCK IT AWA, WULLIE. A'THING WILL BE YEARS OOT O' DATE.

THE PLASTERS ARE STILL STICKY.

OH, WILLIAM. YOU'VE HURT YOURSELF.
NAW, IT'S NOTHING.

POOR, POOR WILLIAM. YOU HAVE THIS CHOCOLATE BAR I WAS GOING TO SHARE WITH THE GIRLS.

I MICHT BE ON TAE A GOOD THING HERE.

NOW I'M AWFY POOR WULLIE.

LOOK AT POOR WILLIAM, GIRLS. I TOLD YOU HE WAS INJURED.
IT'S NOTHING REALLY.

WE WERE GOING TO EAT THIS WHILE WE WATCHED A MOVIE BUT YOU CAN HAVE IT, WILLIAM.

DINNA FUSS, I'M OKAY. WELL, MAYBE JIST ANITHER SLICE O' CAKE.
YOU ARE SO BRAVE.

THIS IS AWFY GUID, GIRLS. BUT I'M SURE I CAN MANAGE MYSEL'.

THIS IS BRAW, I'M GETTING PAMPERED LIKE NEVER BEFORE.

WAIT TILL THEY SEE ME THIS TIME.

BUT...
THAT MONSTER HAS JUST TRODDEN ON THE CAT.
THE BRUTE.

THE MUMMY!
LET'S TEACH IT A LESSON, LADIES.

WE'RE NOT AFRAID OF YOU!
TAKE THAT!
MUT MIT'S ME - MULLIE.

WHAT A LIFE. I'M NEEDIN' A FIRST AID KIT NOW.

YE WIDNAE THINK IT WID BE SO HARD
RAISIN' MONEY FOR A CARD.

WULLIE
?
Be My Valentine

PRIMROSE PATTERSON HAS DONE MY HOMEWORK A' WEEK SO I WANT TO BUY HER A VALENTINE'S CARD...
...BUT I'M BROKE.

I'VE GOT A VALENTINE'S CARD FOR ELAINE SKINNER, BUT I'M OWER BASHFUL TAE GIE IT TAE HER.
ELAINE SKINNER

ME TAE - THIS ANE IS FOR KIRSTEN MURRAY, BUT I JUST BLUSH WHEN I GO NEAR HER. A LOT O' LADDIES ARE LIKE THAT.
KIRSTEN MURRAY

TELL A' THE BOYS I'LL DELIVER THEIR CARDS FOR TWENTY PENCE.

I'LL HAE ENOUGH CASH TAE BUY PRIMROSE A CARD NOW.

FOR YOU, JANE.

CARD FOR TRUDY TODD.

YOUR WILLIAM HAS GIVEN VALENTINE'S CARDS TO LOTS OF GIRLS.
WHAT?

WHERE'S MY VALENTINE'S CARD, WILLIAM? I DID YOUR HOMEWORK, REMEMBER?
ER, I HAVENAE BOUGHT IT YET.

BUT YOU'VE GIVEN CARDS TO LOTS OF OTHER GIRLS. HORRIBLE BOY!
CRUNCH!
I CAN EXPLAIN... OOYAH!

GROAN! I NEED TAE SIT DOON. SHE'S GOT A KICK LIKE A MULE.

MEANWHILE...
WULLIE WAS JUST DELIVERING OOR CARDS, Y'KEN.

OH NO - WHAT HAVE I DONE?

THERE'S A CARD FOR YOU, WULLIE. IS IT A VALENTINE'S CARD FRAE PRIMROSE?

IT IS FRAE PRIMROSE...

...BUT IT'S A GET WELL SOON CARD!
GET WELL SOON

DAEIN' SOMETHING EXTREME IS NO' AS EASY AS IT SEEMS.

HE'S AT BOAB'S HOOSE...

EXTREME SPORTS ARE SO COOL.
THIS STUFF IS GREAT!

IMAGINE BEIN' A STUNTMAN.

WE SHOULD DO SOMETHIN' EXTREME!
LIKE WHIT?

EXTREME TIDDLYWINKS?
NAW!
TIDDLY WINKS

EXTREME SNAKES AND LADDERS?
ABSOLUTELY NO'!
SNAKES AND LADDERS

WHIT ABOOT EXTREME NOUGHTS AND...
BOARD GAMES ARE NO' EXTREME, BOAB.

WE CAN TRY SOME TRICKS OOTSIDE.
KERB!

CLICK!
MICHTY!

JINGS, THAT WAS SAIR.

YOU'RE A STUNTMAN NOO, WULLIE.
MICHTY!

AYE, AN EXTREMELY EMBARRASSED ANE!
HEH! HEH!

WULL AND HIS PALS ARE TRYIN' TAE PLAY, BUT MURDOCH'S GETTIN' IN THE WAY.

I'M AWA TAE PLAY FITBA WI' MY PALS.

LET'S GO TAE PEDDIE STREET FOR A KICK ABOOT.
BRAW! WE'RE UP FOR THAT.

TRY AND SAVE THIS, SOAPY.

CAN'T YOU LADDIES READ?
AW JINGS - PC MURDOCH.
NO BALL GAMES

HOW DID YE KEN WE WERE HERE?
A MEMBER OF THE PUBLIC CAME FORWARD WI' INFORMATION.

SHORTLY...
LET'S GO AND BREAK OOR SPEED RECORD FOR GOING DOON STOORIE BRAE.
TUT-TUT!

HERE GOES THE AUCHENSHOOGLE FLYER.

HALT! THERE'S NAE CARTIES ALLOWED ON STOORIE BRAE.
SCREECH!
BRAKE

NAMES, ADDRESSES AND WHAUR DAE YE BIDE? AYE, I'VE GOT YE BEAT TODAY.
DINNA TELL ME, A MEMBER O' THE PUBLIC GAVE YE INFORMATION.

LOOK, IT'S NOSEY NORA NISBET WHA'S CLIPING ON US TAE MURDOCH.
AYE, SHE'S TRYING TAE LISTEN IN TAE US AGAIN. HERE'S WHAT WE'LL DAE.

I SPIED TWA HUGE SPRING SALMON UNDER PAIRNEY BRIG. WE'LL AWA AND POACH THEM.

SHE'S TELLING MURDOCH RICHT ENOUGH.

NORA DISNAE KEN MURDOCH LIKE WE DO. HE'S NO' GOING TAE TRY AND CATCH US...

...HE'S GOING TAE TRY AND CATCH THE SALMON BEFORE WE DAE.
AYE, HE'S FISHING DAFT.

HE'LL BE AWA FOR HOURS. SHOOT, BOAB.
NO BALL GAMES

HA-HA! YE HAE TAE BE SMART TAE BEAT US BOYS.

A LOAN O' THE MEENISTER'S BOOK GETS OOR WULLIE AFF THE HOOK.

I'M A WANTED MAN. A'BODY IS EFTER ME.

WULLIE!
MA WANTS ME TAE GO SHOPPIN' FOR SCHOOL CLAES.

WHAUR IS THAT BOY?
I'LL MAKE MYSELF SCARCE FOR A WHILE.

OOT THE FRYING PAN AND INTAE THE FIRE. MURDOCH IS EFTER ME TAE.

SOMEBODY TELT HIM I LET DOON HIS BIKE TYRES.

JINGS! I'M IN GRUMPY GREEN'S GARDEN.

IS THAT YOU, WULLIE?
HE WANTS ME TAE FINISH OFF WEEDING HIS PATH...

...JUST BECAUSE I HELPED MYSEL' TAE HIS RASPS IN THE SUMMER.

AW, NAW - HERE COMES MY TEACHER. SHE WANTS ME TAE EXPLAIN WHY I WISNAE AT SCHOOL ON THURSDAY.

TIME TAE HIDE AGAIN.

PHEW! SHE DIDNAE SEE ME.

THIS IS AWFY. I CANNAE CARRY ON LIKE THIS.

YOU LOOK TROUBLED, MY SON. CAN I HELP YOU, WULLIE?
NAW, REVEREND NISBET. I'M JUST TRYING TAE AVOID FOWK.

I HAVE A GOOD BOOK THAT WILL HELP YOU, MY BOY.
EH?

TRUST ME, MY SON - WAVE THIS BOOK AROUND AND PEOPLE WILL DISAPPEAR BEFORE YOUR VERY EYES.
I'LL GIE IT A TRY.

IT'S AMAZING - NAEBODY WANTS TAE KEN YE WHEN THEY THINK YOU'RE SELLING RAFFLE TICKETS!

CLEVER MAN, OOR MEENISTER.

AUCHENSHOOGLE'S NOTHING TAE FEAR NOO THE BUCKET KNIGHT IS HERE!

I'D LOVE TAE BE A SUPERHERO!

LATER THAT MORNING...
MA WON'T MISS ONE O' THESE SCONES.
HALT, THIEF!

AUCHENSHOOGLE'S NEWEST DEFENDER OF JUSTICE, THE BUCKET KNIGHT, HAS NAE TOLERANCE FOR STEALIN' TASTY TREATS!
ERK!

WULLIE, YE SCARED THE LIFE OOT O' ME!
WHO IS THIS "WULLIE" YOU SPEAK O'? NAEBODY KENS THE BUCKET KNIGHT'S SECRET IDENTITY.

CAUGHT RED-HANDED! THANKS TAE THE NEW HERO IN TOON.
NAE THANKS NECESSARY, MA. I MEAN "MA'AM".

MY WORK HERE IS DONE.

CLANG!
OOF! PERHAPS THE BUCKET KNIGHT NEEDS EYEHOLES!

LATER...
COMIN' OOT TAE PLAY, WULLIE?
THE BUCKET KNIGHT HAS NO TIME TAE PLAY. NOR DOES HE NEED A SIDEKICK!

CLONK!!!
WHO YOU CALLIN' A SIDEKICK, TIN-HEID?
CRIVVENS!

RIGHT, YOU... OH, HANG ON...
WHIT'S THAT LOVELY SMELL?

LUNCHTIME, LADS! EVEN SUPERHEROES HAVE TAE EAT.

WELL, MA, YOU KEN HOW TO PUT THE SOUP IN SUPERHERO!
AYE, BRAW!
HA-HA!

OOR WULLIE WANTS TAE KNOW EXACTLY WHIT IT TAKES TAE GROW.

WULLIE!
JINGS! WHIT NOW?

WE'RE GOING SHOPPING FOR NEW SPRING CLAES. YOU'LL HAE OUTGROWN LAST YEAR'S.
OCH! I HATE SHOPPING.

I'VE NO' GROWN SINCE LAST YEAR - THE AULD CLAES WILL FIT FINE.
YOU'D DAE ONYTHING TAE GET OOT O' SHOPPING.

I WIDNAE LIKE IT IF I NEVER GREW THOUGH.

HERE, HOW DAE I GROW AS BIG AS YOU?
RUNNING! GET OOT AND STRETCH THOSE LEGS.

THAT'S EASY ENOUGH.

IF WULLIE IS RUNNING HE MUST HAE DONE SOMETHING.

JINGS! MURDOCH IS AFTER ME - I'LL HAE TAE SPEED UP.

I'LL HIDE IN THIS FIELD AND LET HIM GO BY.

WHIT'S THAT NOISE?

FERMER EASTON'S GOOSE!

GET AWA, YE DAFT BIRD!

MUCH LATER...
EFTER A' THAT RUNNING I MUST HAE GROWN A COUPLE O' INCHES.

I CANNAE BELIEVE IT - I'VE SHRUNK.

THAT'S BECAUSE YOU'VE WORN THE SOLES RIGHT OOT O' YOUR BOOTS, LADDIE.

YOU'RE COMING TAE THE SHOPS WI' ME THIS TIME. I'M NO' BUYING SHOES WITHOOT YOU TRYING THEM ON FIRST.

I HAD TAE GO. I'D RUN OOT O' IDEAS.

THE LADS THINK IT'S A LOAD O' ROT – WULLIE'S NO' THE KING O' CAMELOT!

THIS IS A BRAW BOOK ABOOT KING ARTHUR AN' A' HIS KNIGHTS.
KNIGHTS OF CAMELOT

SOON...
WULLIE WANTS US A' TAE MEET HIM AT HIS SHED.
HE MUST HAE SOME MISCHIEF PLANNED.

WHIT'S GOIN' ON HERE?
I'LL TELL YE WHIT'S GOIN ON...

...WULLIE'S LET HIS POSITION AS LEADER O' OOR GANG GO TAE HIS HEID! HE'S POWER MAD!
WULLIE'S SHED CASTLE

I THINK HE'S JIST MAD. WHIT'S HE DAEIN' IN HIS MA'S AULD COAT AN' TIARA?
AHA! ENTER AND APPROACH THE ROYAL BUCKET... ER, THRONE!

YE CANNAE JIST DECLARE YERSELF KING! YE'LL BE WANTIN' US TAE CALL YE YER MAJESTY NEXT.
I'M NO' DAEIN' THAT FOR ONY REASON! NEVER!

TWA MINUTES LATER...
ARISE, SIR SOAPY, SIR WEE ECK AN' SIR BOAB.
THANK YOU, YOUR MAJESTY!
I'M AWFY PROUD, YER GRACE!

WE'LL BE JIST LIKE KING ARTHUR AN' THE KNIGHTS O' THE ROUND TABLE, EXCEPT FOR ONE WEE THING...

...MA WOULDNAE LET ME BORROW THE BIG DININ' ROOM TABLE, SO WE'LL HAE TAE MAK' DO WI' THIS.
THE KNIGHTS O' THE COFFEE TABLE?

THESE KNIGHTS HAD A GREAT LAUGH, FECHTIN' WI' OTHER KNIGHTS, SLAYIN' DRAGONS, AND RESCUIN' DAMSELS IN DISTRESS.
KNIGHTS OF THE ROUND TABLE

IF WE'RE CAUGHT FECHTIN' AGAIN, "THE BLACK KNIGHT" IS GONNAE BOOK US.
FECHTIN' IN THE STREET, CAUSIN' A BREACH O' THE PEACE AND USIN' A MACE WI'OOT DUE CARE AND ATTENTION...

I SHALL CONFISCATE THE NEXT SWORD I SEE OUT OF ITS SCABBARD!
AN' THE ONLY DRAGON ROOND HERE'LL GIE US LINES IF WE TRY TAE SLAY HER.

THERE, MUCH MORE HOMELY.
AN' WE'RE NO' HAEIN' ONY RESCUED DAMSELS THINKIN' THEY CAN JOIN OOR GANG!

WHIT ELSE DAE KNIGHTS DAE, THEN?
SOMETHING ABOOT... OH, AYE! THEY WENT ON A QUEST FOR THE HOLY GRAIL.

WHIT'S A GRAIL?
IT'S A KIND O' GOAT, ISN'T IT? OR IS IT A FISH? IT'S GOT A BIG BEAK AN' SCALES...

THIS IS BORIN'!
AYE! YE'RE A DUFF KING, YER MAJESTY.
COME ON. LET'S GO!

I RECKON I MUST BE MAIR LIKE MERLIN THE MAGICIAN, SEEIN' THE WAY I MADE A'BODY DISAPPEAR.

WULLIE IS AYE CONNIVIN', BUT WHIT'S WI' A' THE DIVIN'?

HE'S AT SCHOOL...

FOOTBALL TEAM TRIALS NEXT WEEK
LOOK, FITBA TRIALS!
WE'LL NEED TAE GET SOME TRAINING!

NO' JUST A WEE PLAYGROUND KICKABOOT! WE NEED TO GET MORE SERIOUS ABOUT TRAINING.
WHIT DAE YE HAVE IN MIND, WULLIE?

LET'S HEAD TAE THE PARK AN' GET A DECENT GAME GOING!

THIS'LL DAE US.
OKAY, LADS. LET'S PLAY.

I'LL DODGE WULLIE AN' PASS IT TO ECK!

EH?
DIVE!

THEN...
WULLIE HAD BETTER WATCH OUT!

DIVE!
HE'S DONE IT AGAIN!
HE MUST BE FEART O' TACKLIN'!

IT'S OKAY... I'M NO' A SCAREDY-CAT...

...I WAS PRACTISING MY DIVING FOR PLAYING IN GOAL!
NICE SAVE, WULLIE!

FOLLOWIN' WULLIE'S LEAD IS BOUND TAE END WI' A GOOD FEED.

KICK ME!

WHIT ABOOT A GAME O' FOLLOW-MY-LEADER?
AYE, WE'VE NO' PLAYED THAT IN AGES.

I'LL BE THE LEADER, AS USUAL!
LITTER

PECH... TOO EASY!
OH, AYE?
LITTER

AW, NO! I SHOULD'VE KENT THIS WOULD BE OWER BIG TAE GET OWER.

KEEP UP! THROUGH HERE IF YE WANT TAE STAY IN THE GAME, LADS!

IT'S BRAW FUN TRAVELLIN' BY TUBE!

IT'S NO' FUN AT A'! I'M STUCK. GIE'S A HAND. LADS... LADS?

WAIT FOR ME, YOU ANES!

HOP TAE IT, SOAPY!
NAE PROBLEM! I'M NO' OOT O' THIS GAME YET.

BUT...
YE WERE MEANT TAE TIDY YER ROOM THIS MORNIN', SOAPY SOUTAR!
AW, BUT, MAW...

NAE BUTS! HAME AN' DAE IT NOO!
HUP!

CRIVVENS! A'BODY'S VANISHED. I MUST HAE PASSED THROUGH THE AUCHENSHOOGLE TRIANGLE.

THE GAME'S A BOGIE... BUT JUST IN TIME FOR DINNER.

PAY ATTENTION, TATTIE. YOU'RE THE LEADER...

...AN' MINCE... CHOMP... AN' NEEPS... CHEW... AN' INGINS, YE'RE TAE FOLLOW!

SWALLOW-MY-LEADER'S A BETTER GAME ONY DAY!

A DAY IN THE PARK IS AYE A LARK.

I FAIR LIKE EASTER.

WE'LL ROLL OOR EGGS IN THE PARK.
THEN HAE A PICNIC AND EAT THEM.

YOU CAN'T COME INTO THE PARK TODAY - WE'RE PLAYING CRICKET.
BRAW - CAN WE GET A GAME?

YOU COMMON SCRUFFS WOULDN'T KNOW A COVER DRIVE...
OUCH!
WHACK!

...FROM A SQUARE CUT!
OUCH!
WHACK!

NEVER MIND, WE'LL ROLL OOR EGGS AT MOUNT BRACKEN.
PAIR O' BULLIES.

THIS IS THE PLACE.

MINE FIRST THEN YOURS, BOAB.

I SAY...

YEURRG!

OWZAT!

HA-HA! OOT FOR A DUCK, SERVES YE RICHT!

AND HE GOT EGG ON HIS FACE!

THAT LAD WISNAE OOT FOR A DUCK - HE WAS OOT FOR A CHICKEN.

HERE'S SOMETHIN' YE MICHT NO' KEN – WULLIE'S A DAB HAND WI' A PEN.

HE'S AT SCHOOL...

AND THOSE WERE THE POEMS OF WILLIAM TOPAZ McGONAGALL!
HA-HA!

I DIDNAE THINK McGONAGALL WAS A' THAT BAD.

IN FACT, HE'S INSPIRED ME TAE PUT PEN TAE PAPER MYSEL'!

SO...
OH, BEAUTEOUS TOON O' AUCHENSHOOGLE...

...YE'RE WORTHY O' A BLAST ON MY TRUSTY BUGLE.

JINGS! WHIT A FLEG!
PARP!

NAE POETRY READIN' WI'OOT A LICENCE.

NEXT...
OH, ANCIENT BRIDGE OWER RIVER STOORIE...

...YE'D BE VOTED TOPS BY ONY JURY!

WULLIE'S GOT THE SAME FIRST NAME AS McGONAGALL.
AN' HIS POETRY'S JIST AS BAD!

RIDICULED. NOO I KEN HOW AULD TOPAZ MUST HAE FELT.

O' A' THE THINGS MY HEART DOES PLEASE...

...IS MA COOKIN' TATTIES AN' MINCE AN' PEAS.

AW, WULLIE. DID YOU WRITE THAT POEM ABOOT MY COOKIN' A' BY YERSEL'?
AYE. I DID, MA.

THIS TASTES AS GUID AS IT DID SMELL...
...IF YE WANT ONY MAIR...

...YE CAN WRITE IT YERSEL'!

IT'S NO' PC MURDOCH'S PET THAT WULLIE COLLECTS FRAE THE VET.

CAN YE DO ME A FAVOUR, WULLIE? PICK UP A HORSE FOR ME FRAE THE VET'S AN' BRING IT TAE THE TOON HALL AT ONE O'CLOCK.
A HORSE? AYE, NAE PROBLEM, PC MURDOCH!

PC MURDOCH MUST HAE HEARD WHIT A BRAW HORSEMAN I AM.

I'LL BE NEEDIN' A' MY BEST COWBOY GEAR.

OCH, IT'S BEEN LYIN' AT THE BOTTOM O' MY WARDROBE FOR AN AWFY LONG TIME. I'LL HAE TAE IMPROVISE.

WHIT I NEED'S IN HERE.

PA'S FISHIN' HAT WILL DAE AS A STETSON.

AN' THIS TRAVEL RUG MAK'S A BRAW PONCHO. I'LL BET I REALLY LOOK THE PART NOO!

HERE! I HAVENAE GOT A LASSO YET.

MA'LL NO' MISS HER WASHIN' LINE FOR A WEE WHILE.

THERE, NAEBODY COULD TELL THE DIFFERENCE BETWEEN ME AN' A REAL COWBOY.

SOON AFTER...
FANCY DRESS PARTY ON THE DAY, WULLIE?
NAH. I'M FETCHIN' A HORSE FOR PC MURDOCH.

YE MUST BE JOKIN'. YOU'RE ONLY FIT FOR HORSIN' ABOOT!
WELL, FOLLOW ME AN' SEE, THEN, IF YE DINNA BELIEVE ME.

AT THE VET'S...
I'VE COME TAE COLLECT PC MURDOCH'S HORSE AN' TAKE IT TAE THE TOON HALL.
OKAY, I'LL JUST FETCH HIM FOR YOU.

BUT...
I HOPE PC MURDOCH CAN SELL THIS AT HIS JUMBLE SALE.
OCH! IT'S NO' A REAL HORSE AT A'!

HEE-HEE! RIDE 'IM, COWBOY.
THE SHAME O' IT. I'LL NEVER LIVE IT DOON.

GET YER SUPPLIES FROM WILD WEST WULLIE'S WAREHOOSE, THE BEST BARGAINS AROUND!
KEEP IT UP, WULLIE. WE'RE DOIN' A ROARIN' TRADE.
Wullie's Wild West Warehoose

AN' THE GOOD OL' SHERIFF GAVE ME A SILVER DOLLAR FOR MY TROUBLE.

OOR WULLIE'S FOUND HIS DOUBLE, BUT TWA WULLIES MEANS TWICE THE TROUBLE!

HERE'S AUNTIE JEANNIE AN' YER COUSIN COMIN' FOR THEIR TEA, WULLIE.
OH, AYE.

I'VE AYE SAID THOSE TWA WERE LIKE PEAS IN A POD.
AYE, EXCEPT COLIN'S TIDIER!

YOU TAK' COLIN OOT TAE PLAY FOR A WEE WHILE, WULLIE. I'LL GIE YE A SHOUT WHEN YER TEA'S READY.
OKAY, MA.

BEFORE WE GO OOT, LET'S GO UP TAE MY ROOM. I'VE HAD AN IDEA.
OH? WHIT IS IT, WULLIE?

IF YE WEAR MY CLAES, YOU'LL BE EVEN MAIR LIKE ME!
HA-HA! RICHT ENOUGH.

NOO YE CAN SHOW ME WHIT YE GET UP TAE IN AUCHENSHOOGLE, WULLIE.
OKAY.

PERHAPS I SHOULDN'T HAVE HAD THAT SECOND GLASS OF ELDERBERRY WINE AT MRS WYLLIE'S...

THAT'S YOUR DOUBLE VISION COMPLETELY CURED NOW, MISTER SMITH.
THAT'S MISTER GREEN, THE OPTICIAN.

CURED? IT'S EVEN WORSE THAN IT WAS BEFORE!

SOON...
KEEP OFF THE GRASS
FANCY A GAME O' KEEPIE-UP?
AYE.

THREE... FOUR...
OCH, YE'VE A LONG WAY TAE GO TAE BEAT MY RECORD.

THEN...
WHIT HAVE I TELT YE BEFORE ABOOT PLAYIN' ON HERE? CAN YE NO' READ?
JINGS! THE PARKIE!

I CAUGHT THIS PAIR ON THE GRASS, OFFICER.
JINGS! TWA WULLIES! WHICH ONE O' YE'S THE REAL WULLIE?

SOON AFTER...
I CANNAE TELL THEM APART. ONY IDEAS?
OH, THAT'S EASY, PC MURDOCH.

JIST CHECK THE NECK. THE DIRTIEST ANE'S THE REAL WULLIE!

HEE-HEE! SENTENCED TAE A SCRUBBED NECK FOR HIS TROUBLES.

WEEL, IT WAS GUID FUN WHILE IT LASTED, EH?
THAT LADDIE!

THERE'S NAE SLOWIN' WULLIE DOON –
HIS CARTIE'S SPEEDIN' THROUGH THE TOON.

HE'S OOT WI' BOAB.

I LOVE THON HIGH SPEED ACTION FILMS.

I'LL NEED TAE SORT OOT MY RIDE!

SO...
CRASH!
BANG!

TA-DA! PA DIDNAE USE HIS LAWNMOWER MUCH ANYHOW!

MAYBE I COULD SPEED UP A WEE BIT.

HIYA, WULLIE.
EVEN PC MURDOCH ON HIS BIKE IS FASTER!

I'LL GIE THIS A TRY.
NiTro

WOO-HOO!
ZOOOOM!

MICHTY ME! NAE SPEEDIN' ALLOWED, LADDIE.
JINGS, I CANNAE SLOW DOON!

POLICE
HELP MAH BOAB!

WANTED
CAUGHT RED-HANDED!

NAME, ADDRESS AND WHAUR DAE YE BIDE?

I'LL NEED TAE TELL YOUR PARENTS ABOOT A' THIS.

SIGH! I MICHT HAE BEEN FAST, BUT MA AND PA WERE FURIOUS!

THIS CAMPING TRIP WI' PA
ISNAE WHIT WULLIE EXPECTED AT A'.

SPRING IS HERE AT LAST.

DO YE FANCY COMING CAMPING?
WOW! BRILLIANT, PA.

WE'RE GOING IN TAE TOWN.
ARE WE GETTING THE BUS TAE GLEN ORCHY?
BUSST

NAW, WE MUST BE GOING TAE GET A TRAIN TAE LARGS.

HERE WE ARE.
MEGAST
WHIT? WE'RE IN THE MIDDLE O' TOWN.
SALE

WE'RE CAMPING HERE TAE BE FIRST AT THE SALE IN THE MORNING.
OCH! THAT'S NAE GUID. I WANTED TAE GO HUNTING AND FISHING AND STUFF.

NEXT MORNING...
SUCCESS, WULLIE - I GOT THE NEW MUSIC SET YOUR MOTHER WANTED.
JUST GET ME HAME, I DIDNAE SLEEP FOR A' THE CARS AND BUSES.
BLASTER

THIS IS GREAT! NOW ME AND YER PA CAN PLAY ALL OOR OLD MUSIC AGAIN.
WE COULD INVITE OOR PALS ROOND FOR A DISCO.
A WHIT? WHIT'S A DISCO?

THAT NIGHT...
THUD! THUD! THUD!
I KEN NOO - A DISCO IS AULD FOWK GOING NUTS.

I DIDNAE SLEEP LAST NICHT AND I'LL NEVER SLEEP WI' THIS RACKET.
THUD! THUD! THUD!

THUD! THUD!
I KEN WHIT TAE DAE.

ZZZZZZZ

OOR WULLIE'S WEE JEEMIE
IS NAE AT HAME – WHAUR COULD HE BE?

I'M GETTIN' HUNGRY, AN' I'LL NO' BE THE ONLY ANE.
TIME TAE FEED JEEMIE. HE'LL BE NEEDIN' TAE KEEP HIS STRENGTH UP EFTER A HARD DAY'S RUNNIN' IN HIS WHEEL.
OOT YE COME, LAD. I'VE GOT A NICE, CRUNCHY BIT O' LETTUCE FOR YE.
EH? HE'S NO' AT HAME! MA MOOSE HAS GOT LOOSE!
MAYBE HE'S SET AFF TAE SEEK HIS FORTUNE. HE MICHT JOIN THE CIRCUS, SEEIN' AS HE'S SO TALENTED.
BUT I CAN GUESS WHAT WOULD HAPPEN THERE.
EEK! A MOOSE!
WAS IT SOMETHING I SQUEAKED?
I THOCHT JEEMIE WAS HAPPY HERE. I CANNAE IMAGINE HIM RUNNIN' AWA'. UNLESS...
...HE'S FALLEN IN WI' A BAD CROWD WHA'VE LED HIM ASTRAY!
HERE'S THE PLAN. TWITCHY DIGS THE TUNNEL, WHISKERS AND LEFTY DISTRACT THE SHOPKEEPER...
...AND ME AND OOR NEW GANG MEMBER, JEEMIE, WILL GET THE HAUL O' CHEESE.
Cheese 2 Please
NAH. I'M GETTIN' OWER CARRIED AWA WI' MY IMAGINATION. THERE'LL BE A SIMPLE EXPLANATION.
LIKE HE'S BEEN MOOSE-NAPPED! WHISKED AWA FRAE RICHT UNDER MY NOSE! HELP! POLIS!
SOON...
LET'S FACE IT, WULLIE. THERE'D NO' BE MUCH O' A RANSOM ON A MOOSE. SORRY, LADDIE. I CANNAE SPEND POLIS TIME ON A WILD MOOSE CHASE.
AYE, I SUPPOSE YE'RE RICHT.
I'LL JUST HAE TAE FACE FACTS. I'LL NEVER SEE MY WEE JEEMIE AGAIN... HEE-HEE!
YE DINNAE SOOND TOO UPSET.
UPSET? HA-HA! I'M HA-HA-HEARTBROKEN! I'VE NEVER BEEN SO HEE-HEE-HEE... SAD!
ODD LADDIE.
YE CAN CA' AFF THE SEARCH, HA-HA, MURDOCH. I'VE JIST REMEMBERED... HO-HO-HO!
I PUT JEEMIE IN MY POOCH EARLIER. I MUST HAE FORGOT HE WAS STILL HIDIN' IN MY SHIRT.
WEEL, YE LOOK TICKLED PINK TAE SEE HIM AGAIN.
JIST YOU STICK TAE YOUR WHEEL AN' STOP GIVIN' ME THE RUN AROOND.
Hame SWEAT Hame

PRIMROSE IS CAUSIN' AN AWFY FUSS
SITTIN' WI' WULLIE ON THE BUS.

HE'S AWA TAE SCHOOL...

STOP
COOEE, WILLIAM!
HARUMPH! HI, PRIMROSE.

STOP
ON YOU GO, WILLIAM. I'VE GOT TO, ER, TIE MY LACE.
AYE, RIGHT.

OH, DEAR. NO SEAT FOR ME...

...I'LL JUST HAVE TO SIT HERE.
HERE? WHIT ARE YE DAEIN'?

NOO WHIT ARE YE DAEIN'?
I HAVE TO HANG ON, WILLIAM. THE BUS MAY GO OVER A BUMP.

WHIT ARE YE LOOKIN' AT?
I THINK I SEE A SMUDGE.

CLOSE YOUR EYES FOR A SECOND.
WELL, IS IT A SMUDGE?

HELP MA BOAB!

I MUST HAVE BEEN MISTAKEN.
AYE, RIGHT!

AN' I NEED MY HEID LOOKED AT FOR BELIEVIN' YE!
WHY, WILLIAM...

...I DIDN'T REALISE YOU HAD SUCH BIG MUSCLES. YOU MUST BE VERY STRONG.
THAT'S ME.

YOU WOULDN'T BE STRONG ENOUGH TO LIFT ME, THOUGH.
A WEE LASSIE LIKE YOU?

N-NAE BOTHER, SEE?
GOOD...

...YOU'RE STRONG ENOUGH TO CARRY ME OVER THE THRESHOLD WHEN WE GET MARRIED.
WHIT AM I DAEIN'?
KISSY-WISSY.

WEEMIN - SLEEKIT OR WHIT?

OOR WULLIE THINKS IT'S BRIGHT
TRYIN' TAE HIDE IN PLAIN SIGHT.

PA'S TAKING ME TAE TRY AN' SEE A CUCKOO ON DRIMMIE HILL.

IS THAT ANE, PA? IS THAT ANE?
AYE.

IF YE KEEP PERFECTLY STILL, THEY DON'T SPOT YOU.

JINGS! PA'S RICHT.

LATER...
ARE YE UP FOR A KICKABOOT?
THAT'LL BE BRAW.

CRIVVENS! WE'VE BELTED AULD MCTURK'S DOOR.
THUMP!

IF YE STAND PERFECTLY STILL HE MICHT NO' SPOT YE.
NAE CHANCE, I'M LEGGING IT.

HEE-HEE! IT WORKS.

I DIDNAE SEE ONYBODY.
THAT'S BECAUSE YE WENT RUNNING OOT WITHOOT YER SPECS.

MURDOCH'S MAYBE ON MY TRAIL.

HE HASNAE SPOTTED ME.
I'LL PRETEND AS LONG AS HE DOES.

IF WULLIE'S STANDING STILL HE CANNAE BE CAUSING TROUBLE, SO I CAN RELAX.

MICHTY, I'M STUCK LIKE THIS - MURDOCH SAT THERE FOR AN HOUR.

IS THIS THE END
FOR AUCHENSHOOGLE'S BEST FRIENDS?

I'M LUCKY HAVIN' SUCH GUID PALS AS FAT BOAB AND SOAPY SOUTAR.

HAVE YE NO' HEARD? SOAPY IS LEAVING.

JINGS, BOAB, YE'RE RICHT. THERE'S THE REMOVAL VAN.
REMOVAL

SO YE ARE MOVING AWA, SOAPY?
AYE.

WE'LL TAKE YE ON A FINAL TOUR O' AUCHENSHOOGLE.
SO YE MIND O' THE PLACE WHEN YE'RE AWA.

THIS IS GRUMPY GREEN'S AIPPLE TREE.
THE ANE WE RAID FIRST EVERY YEAR.

WE'LL A' HAE A SOOR PLOOM TAE REMIND US O' THE SOOR AIPPLES.

PRANNIE POND WHAUR YE CAUGHT THON GIANT PUDDOCK, SOAPY.
AYE, FOND MEMORIES.

WILL YE MISS US, SOAPY?
I DINNAE THINK SO.

WHIT? WE'VE BEEN PALS FOR YEARS!

CRIVVENS, SOAPY. THEY'VE GONE WITHOOT YE.
WE'LL NO' LET YE YE CAN BIDE IN WULLIE'S SHED.

DID I FORGET TAE SAY WE WERE JUST MOVING UP THE STREET TAE A BIGGER HOUSE?
AYE, YE DID, YE CHANCER.

WE'LL HELP.
WHEN EVERYTHING IS IN, BOYS, YOU CAN HAVE A WEE HOUSE WARMING PARTY.

OH, YE'RE NO' AWA TAE BIDE AWA, YE'RE NO' AWA TAE LEAVE US.

FRIENDS FOREVER, THAT'S US.

PEPPER MINTS

OOR WULLIE HOPES THAT ONE DAY
HE'LL HAE HIS AIN STATUE MADE OOT O' CLAY.

DOON THE TOON...
IT MUST BE GREAT TAE HAE YER AIN GIANT STATUE, COMMEMORATIN' YER ACHIEVEMENTS.
JOCK McTURK
THE FIRST MAN OVER STOORIE FALLS IN A BARREL
I'LL MAK' MY AIN STATUE WI' THIS MODELLIN' CLAY, SINCE NAEBODY ELSE SEEMS TAE BE IN A HURRY TAE DO IT FOR ME!
NOW TAE GET ON WI' MY MASTERPIECE...
...IF I KNEW WHAUR TAE START. THE BODY? THE LEGS? THE BONNY FACE?
THEN...
OCH! I'VE WAITED OWER LONG. THE CLAY'S SET ON MY HANDS!
THERE YE GO, WULLIE.
THANKS FOR COMIN' TAE THE RESCUE, PA.
TAP
TAP
I'VE ONLY GOT ONE WEE BIT O' CLAY LEFT. WHIT NOO?
WHIT DAE YE THINK, JEEMIE? IT'S A STATUE O' YOUR GUID SELF. BRAW, EH?
AYE, BRAW!
YE'LL AYE BE A GIANT AMONG MEN TAE ME, WULLIE!

OOR WULLIE'S GETAWA
IS FOILED BY A TENNIS BA'.

I'VE GOT A CHECK-UP AT THE DENTIST TODAY.

IT'S TOO BRAW A DAY TAE BE SITTIN' IN THE DENTIST. I THINK I'LL JUST GO TAE THE PARK INSTEAD.

JINGS! MA'S HERE TAKIN' HARRY OOT FOR WALKIES. JUST MY LUCK!

I'LL BORROW THAT CAP TILL THEY'VE PASSED, THEN I'LL GIVE IT BACK.
PHEW, THIRSTY WORK!

SNIFF, SNIFF!

THAT SMELL'S FAMILIAR...

I'D BETTER JOG ON!

HARRY WON'T BE ABLE TO SMELL ME FROM THIS DISTANCE!

SMASH!
OOPS!
OOYAH!
BLAT!
TOC!

WULLIE! YOU'RE MEANT TAE BE AT THE DENTIST.
BUT, MA, I DINNAE LIKE IT THERE.

WELL, YE'LL NEED TAE GO NOW. IF WE HURRY, WE CAN STILL MAKE YER APPOINTMENT.
GROAN!

LATER...
THE TRUTH HURTS, EH, SON?
NO' AS MUCH AS THE TOOTH HURTS.

WULLIE'S LOOKIN' FOR A PARDON
BY HELPIN' PA FIX HIS GARDEN.

WHIT WOULD WE DAE WI'OOT LAWNS? THEY'RE FITBA PITCHES...
SCLAFF!

...GRAND PRIX RACIN' TRACKS...

...AN' THEY'RE PERFECT FOR BURYIN' PIRATE TREASURE IN.

JINGS! IT'S TIME FOR THE GAIRDEN TAE BE JUDGED AGAIN. IT SEEMS TAE COME ROOND QUICKER EVERY YEAR.
BEST KEPT GAIRDEN COMPETITION

BUT LOOK AT MY LAWN. IT'S SUFFERIN' FRAE WULLIE!

DINNAE WORRY, PA. YE CAN ORDER A NEW LAWN, LIKE HAMPDEN GOT A NEW PITCH.
AYE?

ONE PHONE CALL LATER...
CAN I HELP TAE LAY THE TURF, PA?
IF YE KEEP IT TIDY.

SOON...

WHIT A GUID JOB, WULLIE. IT'S JIST LIKE A BOOLIN' GREEN!

BOOLIN' GREEN, IS IT? WHAUR'S THE JACK?

LET ME POINT YE IN THE RICHT DIRECTION, MR PATTERSON.

MARVELLOUS TEXTURE.
THE JUDGE
TOOK ME YEARS TAE GET IT LIKE THAT.
AHEM

HELP MA BOAB. I'VE DRAPPED MY POCKET MONEY OOT A HOLE IN MY POOCH!

MAYBE IT'S UNDER THE NEW LAWN.
ER, WULLIE...

TOOK YOU YEARS TO GET THE LAWN LIKE THAT, DID IT?
FOUND OOT!

THE LENGTHS SOME FOLK WILL GO TO.
WULLIE, I WANT A WORD WI' YE!

THAT WAS JIST "TURF" LUCK!

WHIT COULD MAKE MURDOCH MADDER THAN OOR WULLIE WI' A LADDER?

PEAS

I'M FED UP.

A LADDER! I COULD HAE FUN WI' THAT.

I'LL SET UP A WEE TRAP FOR PC MURDOCH.

TIE ONE END O' THIS STRING HERE...

...AND THE OTHER TAE THIS TREE.

MICHTY!

YE CANNAE MISS A TARGET THAT SIZE.
HOWL!

AHA, PRIMROSE. ANOTHER TARGET.

EEK! WHAT'S THAT?
SPLASH!

CAW! CAW!
EEEK! A BIRD MUST HAVE POOED ON ME.

HA-HA! SHE NEVER SAW ME, THE SILLY LASSIE.

AYE, BUT I SAW WHAT YE DID FRAE UP HERE.
WHIT ARE YE DOING UP THERE?

YOU TOOK MY LADDER AND I COULDNAE GET DOON.
OH, JINGS!

NAE MAIR CLIMBING FOR YOU.
I'M GROUNDED FOR THE WHOLE WEEK.

WULLIE'S GETTIN' INTAE A GRUMP, SEARCHIN' FOR HIS BICYCLE PUMP.

I FANCY A BIKE RUN THE DAY.

OCH! MY TYRES ARE FLAT - AND I'VE LENT MY BICYCLE PUMP TAE BOAB!

I'LL JIST NIP OWER TAE HIS HOOSE TAE GET IT BACK. I'LL BE NAE TIME AT A'.

BUT...
SORRY, WULLIE - I LENT IT TAE SOAPY LAST WEEK. DID HE NO' GIE IT BACK TAE YE? HE SAID HE WOULD.
NO, HE DIDNAE! NEVER MIND - I'LL JIST NIP OWER THERE NOO.

HUH! WHIT A CHEEK, LENDIN' YER BEST PAL'S PROPERTY TAE YER OTHER BEST PAL. NAE WONDER I CAN NEVER FIND ONYTHIN'!

SHORTLY...
PECH! HAVE YE GOT MY BICYCLE PUMP, SOAPY?
NO, I DINNAE. I GAVE WEE ECK A SHOT O' IT.

JINGS! IT'S A... PUFF... WEEL-TRAVELLED BICYCLE PUMP, THIS. PECH!

HAVE YE... PECH... GOT MY... PUFF, BICYCLE PUMP, ECK? PANT!
NAW! AFTER I USED IT ON THESE BALLOONS, I LENT IT TAE PC MURDOCH. HE'S GOT IT!

SOON AFTER...
I GAVE IT BACK TAE YER PA FOR YE ONCE I'D USED IT, WULLIE.
WHIT? SO THE BLOOMIN' THING'S BEEN BACK AT MY HOOSE A' ALONG? GIE ME STRENGTH!

I DINNAE... PECH... BELIEVE THIS! A'BODY'S HAD A SHOT O' MY... PUFF... BICYCLE PUMP EXCEPT... PANT... THE LAD THAT NEEDS IT - ME!

BACK HOME...
PHEW! HAVE YOU GOT MY... PECH... BICYCLE PUMP, PA? WHEEZE!
AYE. IT'S IN MY PIECE BOX, DO YE WANT IT?

FORGET IT! I'M OWER PUGGLED TAE CYCLE ONYPLACE EFTER A' THE RUNNIN' ABOOT I'VE DONE!

HE'S AWA TAE BED!

AS A LEADER, WULLIE'S FULL O' PERSISTENCE –
FORMIN' THE AUCHENSHOOGLE RESISTANCE!

WE'RE GETTIN' A VIDEO AT SCHOOL.

THAT CONCLUDES TODAY'S LESSON ABOUT THE FRENCH RESISTANCE.
FIN
JINGS! I HAD NEVER HEARD O' THEM BEFORE.

THAT WAS A GREAT FILM!
IT COULD HAE DONE WI' A SPACESHIP OR TWA!
OR DINOSAURS!

RICHT, LADS, WE'RE GOING TAE FORM THE AUCHENSHOOGLE RESISTANCE.

BUT WHIT ARE WE RESISTIN'?
DINOSAURS IN SPACESHIPS?

USE YER IMAGINATION. WE'RE RESISTIN' BATHS, HAMEWORK, EARLY NICHTS!

THE RESISTANCE AYE WORE RAINCOATS.
EVEN IN SUMMER?

I'LL BE BACK IN A MINUTE, OR UNE MINUTY, AS WE FRENCH SAY.

JINGS! WULLIE'S GROWN A MOUSTACHE, LIKE THE PERSISTENCE LEADER IN THE FILM.

IF HE DID, HE GREW IT IN THE COAL BOX!
IT'S A DISGUISE!

GET AFF. ARE YE TRYIN' TAE PINCH MY BERET?
OUI, MONSIEUR!

I CANNAE HELP BEING A WEE MONSIEUR!
JINGS! ECK FAIRLY RESISTED THAT!

LOOK OOT, MON AMIS! A UNIFORM!

I'M AN EXPERT O' CONCEALMENT. HE DIDNAE SEE ME!
THAT BOY GETS DAFTER EVERY DAY!

WULLIE! YER SUPPER'S READY!
MA'LL NO' CATCH ME OOT LIKE THAT! I'M NO' GOIN' IN.

TEN SECONDS LATER...
I JIST CANNAE RESIST MA'S COOKIN'!
HE NEVER COULD!

LOOKS LIKE HE'S NO' RESISTIN' HAEIN' A REST EITHER!

PC MURDOCH'S DOUBLE KEEPS OOR WULLIE OOT O' TROUBLE.

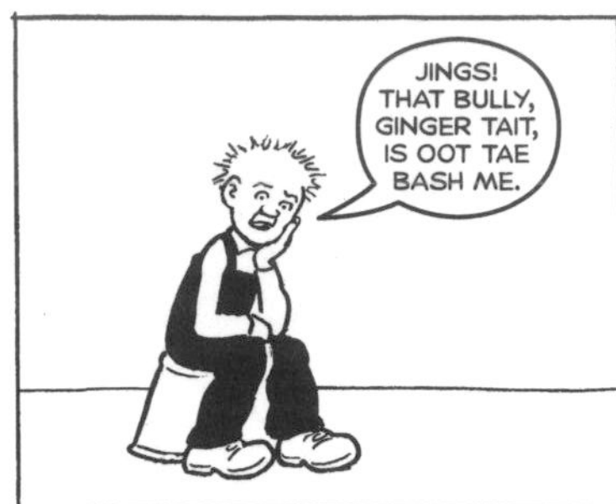
JINGS! THAT BULLY, GINGER TAIT, IS OOT TAE BASH ME.

I'LL GET YE - YE'LL NO' DODGE ME A' DAY.

PC MURDOCH, I NEED YOUR PROTECTION. LET ME WALK WI' YOU TODAY.
JINGS, WULLIE. NO' TODAY.

INSIDE...
ICE PACK
I HAD A WILD NIGHT AT THE BAGPIPE COMPETITION. I'M JUST GOING TAE SIT HERE AND HOPE THE SERGEANT DISNAE SEE THAT I'M NOT OOT ON PATROL.
THAT'S NAE HELP TAE ME.

WHAT'S A' THIS JUNK?
ANCIENT LOST PROPERTY THAT I'M CHUCKING OOT.

I'VE A BRAW IDEA.

I'VE BUILT MY AIN BODYGUARD.

SHORTLY...
BAH! MURDOCH IS BESIDE WULLIE. I'LL GET HIM LATER.

SOON AFTER...
WHAT IS THIS? MURDOCH'S STILL WI' HIM.

LATER...
WULLIE MUST HAE POLIS PROTECTION. I'M GOING HAME.

HA-HA! HE'S GONE! I'LL TAK' MY FAKE POLIS BACK NOW.

AW, NAW! I'VE LANDED PC MURDOCH IN TROUBLE.
MURDOCH?

GOOD WORK, CONSTABLE. I SPOTTED YOU ON PATROL ALL OVER AUCHENSHOOGLE TODAY.
YOU DID? I MEAN, YES, YOU DID.

YOU SAVED ME TODAY.

IT'S BRAW HAEIN' A LAWMAN THAT LIKES A LAUGH.

THE BIG SHOP'S A ROTTEN DEAL -
EVEN WI' A WONKY WHEEL.

YOU HAVENAE SEEN ME, OKAY, WULLIE?
FOR PA TAE BE RUNNING THAT FAST, MA MUST WANT HIM TAE DO SOMETHING.

WULLIE, HAVE YOU SEEN YOUR PA? I WANTED HIM TAE HELP WI' THE SUPERMARKET SHOP.
I WAS RIGHT. PA'S SMART ENOUGH TAE DO A RUNNER.

YOU'LL DO INSTEAD.
OH, MICHTY. I'M DOOMED.

WHIT WAY IS THIS FOR A LADDIE TAE SPEND HIS DAY?

TYPICAL. THESE TROLLEYS AYE HAE A WONKY WHEEL.

JINGS! THIS ONE'S REALLY HARD TAE STEER. IT'S OOT O' CONTROL!

OOPS! THAT LAD MUST BE KEEN ON FROZEN PIZZA.
BASH!
YIKES!

LOOK WHAT YOU DID!
I LIKE FAST FOOD, BUT NO' THAT FAST.

CRASH!
YOU KNOW, MA AYE SAID TINNED FOOD WAS BAD FOR YOU.

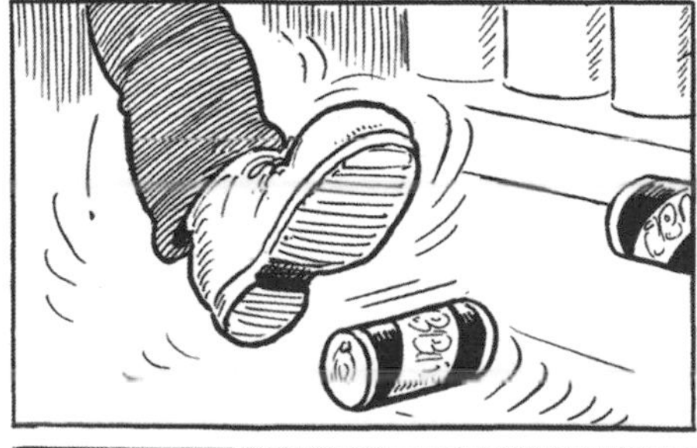

AND SHE WAS RIGHT.
CRASH!
EEEK!

THAT BOY'S GETTING HIS FIVE A DAY IN ONE GO!
FRESH FRUIT

I THOUCHT FRESH FRUIT WAS GUID FOR YOU, BUT HE DISNAE LOOK WELL.
I'VE DECIDED. THERE'S ONLY ONE THING I'M PUTTIN' IN THE TROLLEY.

YOU!
I CANNA TAK YE ONYWHERE - AND CAN CERTAINLY NEVER TAK YE BACK!
WHAT DID I DO?

THERE'LL BE NAE MAIR SHOPPING FOR ME AFTER TODAY.
THAT'S MA BOY.

ADD IT TAE THE JOB CATALOGUE, WULLIE WANTS TAE BE A POLIS DOG.

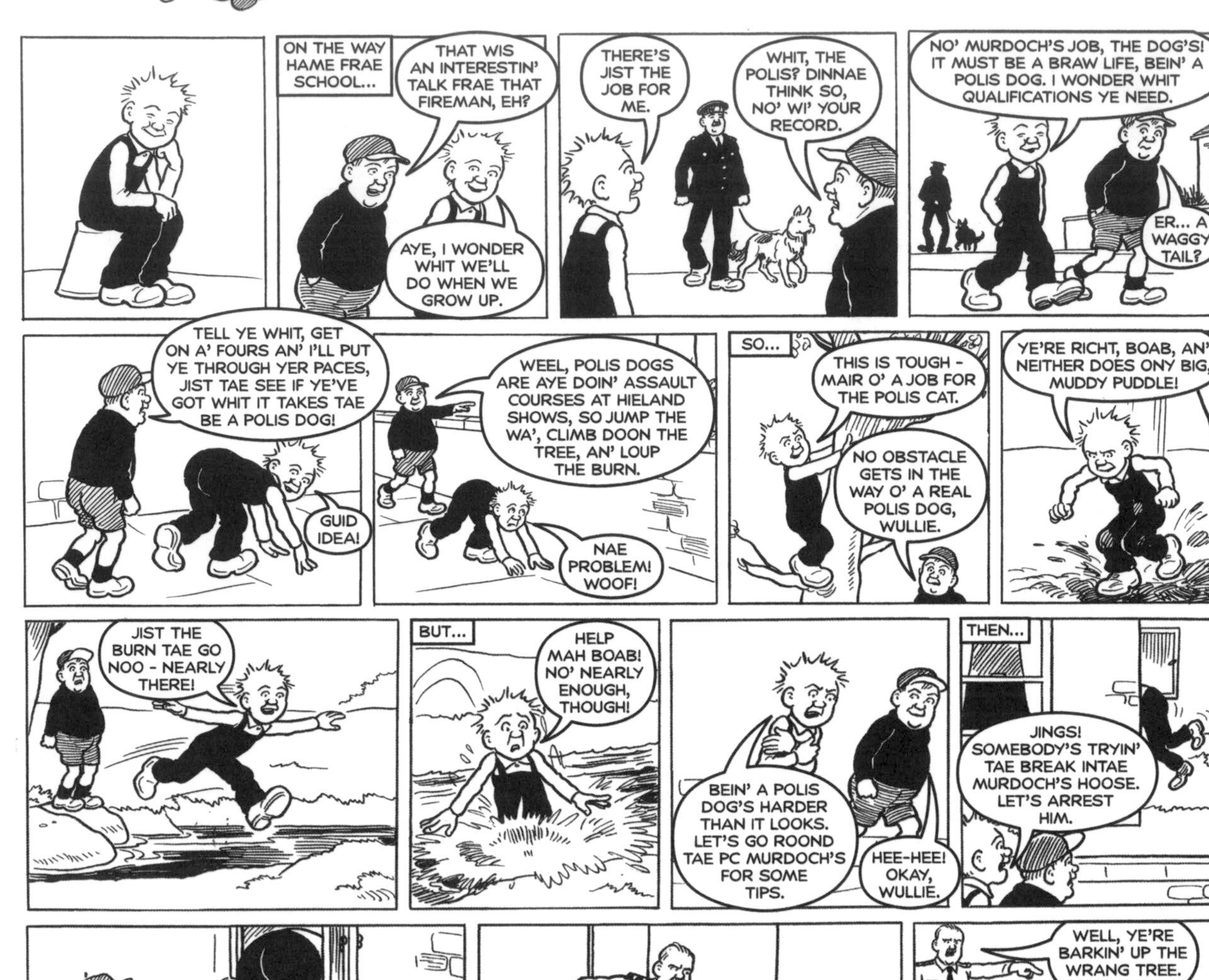
ON THE WAY HAME FRAE SCHOOL...
THAT WIS AN INTERESTIN' TALK FRAE THAT FIREMAN, EH?
AYE, I WONDER WHIT WE'LL DO WHEN WE GROW UP.
THERE'S JIST THE JOB FOR ME.
WHIT, THE POLIS? DINNAE THINK SO, NO' WI' YOUR RECORD.
NO' MURDOCH'S JOB, THE DOG'S! IT MUST BE A BRAW LIFE, BEIN' A POLIS DOG. I WONDER WHIT QUALIFICATIONS YE NEED.
ER... A WAGGY TAIL?
TELL YE WHIT, GET ON A' FOURS AN' I'LL PUT YE THROUGH YER PACES, JIST TAE SEE IF YE'VE GOT WHIT IT TAKES TAE BE A POLIS DOG!
GUID IDEA!
WEEL, POLIS DOGS ARE AYE DOIN' ASSAULT COURSES AT HIELAND SHOWS, SO JUMP THE WA', CLIMB DOON THE TREE, AN' LOUP THE BURN.
NAE PROBLEM! WOOF!
SO...
THIS IS TOUGH - MAIR O' A JOB FOR THE POLIS CAT.
NO OBSTACLE GETS IN THE WAY O' A REAL POLIS DOG, WULLIE.
YE'RE RICHT, BOAB, AN' NEITHER DOES ONY BIG, MUDDY PUDDLE!
JIST THE BURN TAE GO NOO - NEARLY THERE!
BUT...
HELP MAH BOAB! NO' NEARLY ENOUGH, THOUGH!
BEIN' A POLIS DOG'S HARDER THAN IT LOOKS. LET'S GO ROOND TAE PC MURDOCH'S FOR SOME TIPS.
HEE-HEE! OKAY, WULLIE.
THEN...
JINGS! SOMEBODY'S TRYIN' TAE BREAK INTAE MURDOCH'S HOOSE. LET'S ARREST HIM.

HOI!
A POLIS DOG NEVER LETS GO O' AN APPREHENDED CROOK!

WHIT ARE YOU UP TAE? I'M JIST TRYIN' TAE GET INTAE THE HOOSE FOR A CUP O' TEA SEEIN'S I'VE LEFT MY HOOSE KEYS AT THE STATION.
I WIS, ER, JIST PRACTISIN' TAE BE A POLIS DOG, PC MURDOCH.

WELL, YE'RE BARKIN' UP THE WRANG TREE. BEAT IT!
HUH! IT'S RUFF JUSTICE, SO IT IS.

BUT SOON AFTER...
HELLO, IS THAT WULLIE'S MA? DID YE KEN THAT...

HA-HA! RIGHTO, PC MURDOCH. I'LL MAK SURE HE GETS IT.

AND...
TUCK IN, ROVER!

HUH! IT'S A DOG'S LIFE, RICHT ENOUGH.
MINCE AN' TATTIES WILL SOON HAE HIS TAIL WAGGIN' AGAIN.

OOTDOORS, WULLIE'S NAE SO LUCKY -
HE'S AYE GETTIN' AWFY MUCKY.

WULLIE'S AWA TAE WAR...

THAT'LL TEACH THE STOORIE STREET MOB TAE TRY AND CAPTURE OOR TREEHOOSE.
IT WAS SOME BATTLE, BUT WE WON.
I'M NEEDIN' MAH DENNER NOW.

LOOK AT THE STATE O' YE! I FORBID YE TAE PLAY WI' THEY WILD LADDIES AGAIN.
CRIVVENS! THEY'RE MAH PALS.

WILLIAM CAN HELP ME. I'M STARTING A NATURE PROJECT.
THAT'S NICE OF YE, PRIMROSE. AWA AND GET YERSELF CLEANED UP, WULLIE.

WHIT STUPID PROJECT ARE YE DAEIN' ONYWAY?
COLLECTING WILD FLOWERS FROM THE FIELD AND PRESSING THEM IN MY BOOK.

THERE'S A MARSH MARIGOLD.
I'LL GET IT FOR YE.

MICHTY, THIS IS A SWAMP.

OH NO. THAT GOAT IS GOING TO EAT THE LAST BLUEBELL.
STAND ASIDE, LASSIE.

GOT IT!

YE WEE SCUNNER - THAT WAS MY ELEVENSES.
BAM!

THEN...
I CAN PICK THIS DAISY WI'OOT GETTING HURT.
THROB!

HOWL! THERE WIS A BEE IN IT AN' IT'S STUNG ME.
STING

YOU MUST HURRY HOME FOR TREATMENT, WILLIAM.
THROB!

YE'VE BEEN PICKING FECHTS WI' THOSE WILD LADDIES AGAIN.
NAW, I WAS PICKIN' FLOOERS, BUT THEY WERE WILD ANES.

I'M STILL WORKING FOR PRIMROSE. I'M PRESSING HER FLOOERS NOW.

OOR WULLIE'S LEFT SHINING AFTER A DAY O' GOLD MINING.

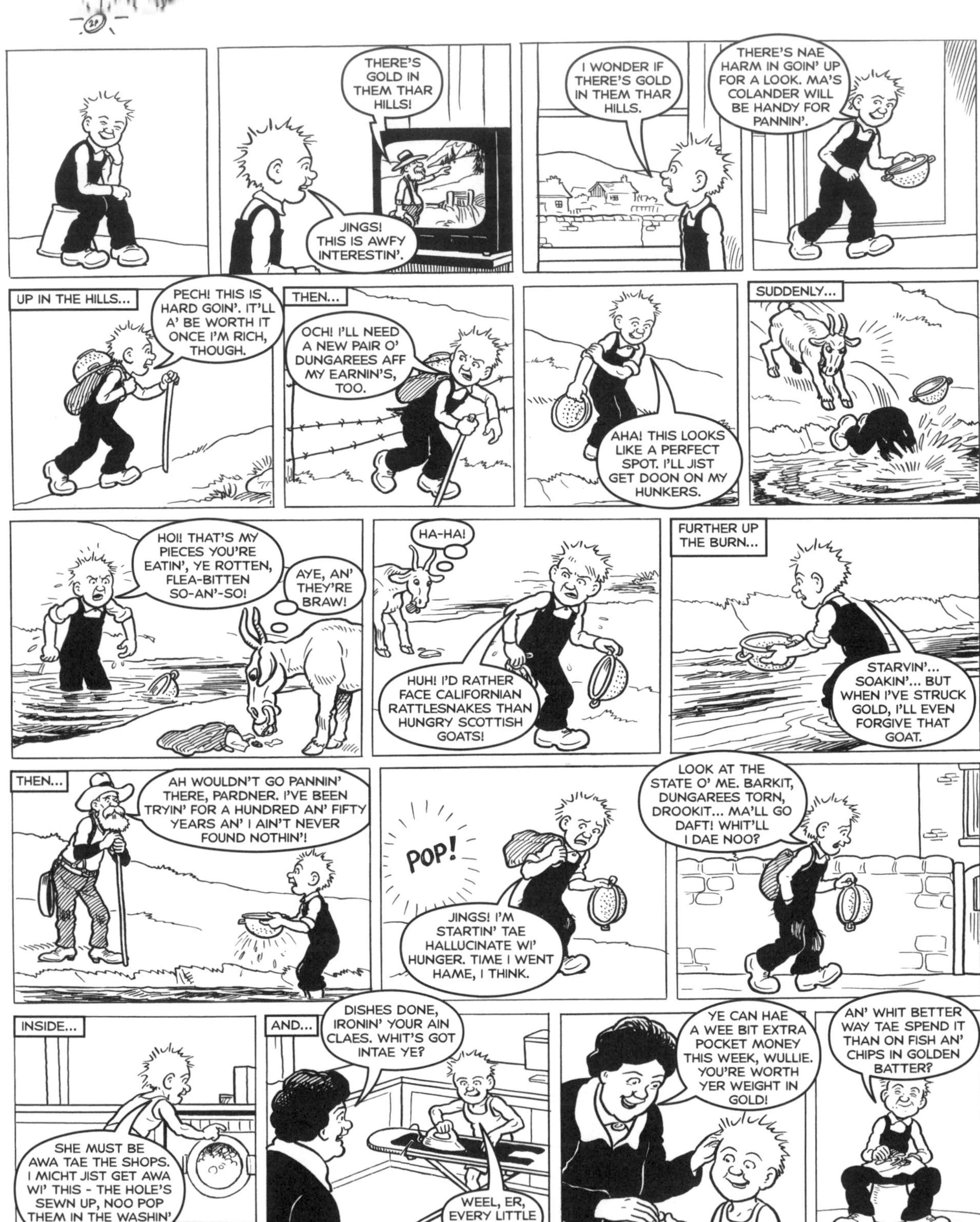
THERE'S GOLD IN THEM THAR HILLS!
JINGS! THIS IS AWFY INTERESTIN'.
I WONDER IF THERE'S GOLD IN THEM THAR HILLS.
THERE'S NAE HARM IN GOIN' UP FOR A LOOK. MA'S COLANDER WILL BE HANDY FOR PANNIN'.
UP IN THE HILLS...
PECH! THIS IS HARD GOIN'. IT'LL A' BE WORTH IT ONCE I'M RICH, THOUGH.
THEN...
OCH! I'LL NEED A NEW PAIR O' DUNGAREES AFF MY EARNIN'S, TOO.
AHA! THIS LOOKS LIKE A PERFECT SPOT. I'LL JIST GET DOON ON MY HUNKERS.
SUDDENLY...
HOI! THAT'S MY PIECES YOU'RE EATIN', YE ROTTEN, FLEA-BITTEN SO-AN'-SO!
AYE, AN' THEY'RE BRAW!
HA-HA!
HUH! I'D RATHER FACE CALIFORNIAN RATTLESNAKES THAN HUNGRY SCOTTISH GOATS!
FURTHER UP THE BURN...
STARVIN'... SOAKIN'... BUT WHEN I'VE STRUCK GOLD, I'LL EVEN FORGIVE THAT GOAT.
THEN...
AH WOULDN'T GO PANNIN' THERE, PARDNER. I'VE BEEN TRYIN' FOR A HUNDRED AN' FIFTY YEARS AN' I AIN'T NEVER FOUND NOTHIN'!
POP!
JINGS! I'M STARTIN' TAE HALLUCINATE WI' HUNGER. TIME I WENT HAME, I THINK.
LOOK AT THE STATE O' ME. BARKIT, DUNGAREES TORN, DROOKIT... MA'LL GO DAFT! WHIT'LL I DAE NOO?
INSIDE...
SHE MUST BE AWA TAE THE SHOPS. I MICHT JIST GET AWA WI' THIS - THE HOLE'S SEWN UP, NOO POP THEM IN THE WASHIN' MACHINE.
AND...
DISHES DONE, IRONIN' YOUR AIN CLAES. WHIT'S GOT INTAE YE?
WEEL, ER, EVERY LITTLE HELPS, EH?
YE CAN HAE A WEE BIT EXTRA POCKET MONEY THIS WEEK, WULLIE. YOU'RE WORTH YER WEIGHT IN GOLD!
AN' WHIT BETTER WAY TAE SPEND IT THAN ON FISH AN' CHIPS IN GOLDEN BATTER?

IS WULLIE REALLY NO' FEELIN' WEEL, OR DOES HE NO' WANT TAE DANCE THE REEL?

WULLIE'S NO' WEEL...

WHAT'S WRONG, WULLIE?
I THINK I'VE GOT A TEMPERATURE O' A HUNDRED AN' EIGHTY.

YOU'RE BURNING UP.
I'M SURE I'LL BE FINE IN A DAY OR TWA.

YOU MIGHT RECOVER QUICKER WI'OOT A' THESE HOT WATER BOTTLES.
HOW DID THEY GET THERE?

UP, YOU WEE CHANCER. YOU'RE NO' DODGING TONIGHT'S CEILIDH.
OCH, MA!

THE CONDEMNED MAN IS TAKEN TO HIS DOOM.
WHY DO YOU NO' WANT TAE COME?

THERE YOU ARE, WILLIAM!
BECAUSE THE LASSIES AYE WANT TAE DANCE.

SOMETIMES YOU JIST HAVE TAE ACCEPT THAT YOU'RE GOING TAE DANCE, WULLIE.

WILLIAM?
SHE'LL NEVER CATCH A MOVING TARGET.

PRIMROSE!
THERE YOU ARE, WILLIAM.
SCREEEEECH!

HOW DID YE CATCH ME?
DANCERS HAVE QUICK BRAINS AND QUICKER FEET.

WE'RE JUST IN TIME FOR STRIP THE WILLOW.
IT'LL STRIP MY DIGNITY AND MY REPUTATION.

CRUNCH!

OUCH!
AYE, HEEE-YOOCH!
CRUNCH!

I MUST BE RIGHT GUID. A'BODY'S JOINING IN!

THAT WAS A BRAW NICHT AFTER A'. I'M NO' SURE PRIMROSE WILL BE ASKIN' ME TAE DANCE AGAIN IN A HURRY, THOUGH. POOR LASSIE WAS DANCED AFF HER FEET.
TAP!

GRANNY SOOKERS

WULLIE'S LUNCH CAUSES SUCH A FUSS, HE DISNAE CATCH HIS SCHOOL BUS.

I'M GOIN' ON A SCHOOL TRIP THE DAY. BRAW FUN!

I'LL MAK' MY AIN PACKED LUNCH AN' NO BOTHER MA.

SOON...
CHEESE PIECE, AIPPLE, TIN O' FIZZY JUICE. PERFECT!

MIND YOU, IT'S NO' MUCH. I'M A GROWIN' LADDIE EFTER A'.

A COUPLE O' EXTRA PIECES AND A BANANA WILL DAE IT.

AN' IT'D BE FINE IF MA HAD ONY CHICKEN DRUMSTICKS OR COLD MEAT, BUT SHE'S RICHT OOT JIST NOO.

PA MUST HAE SOMETHIN' TASTY IN HIS PIECE BOX, HE'S NO' NEEDIN' A' THIS, SURELY?

THAT'S BETTER. A PIE, A SAUSAGE ROLL, CHEESE PIECE, AIPPLE, HAM PIECE, BANANA, CHOCOLATE BISCUITS. MAGIC!
THAT'S FUNNY. MY PIECE BOX IS AWFY LIGHT THE DAY...

ON THE WAY TO SCHOOL...
JINGS! MY SCHOOL BAG'S AWFY HEAVY NOO, BUT IT'LL BE WORTH IT ON THE SCHOOL TRIP.

THEN...
HANG ON. I'VE FORGOTTEN ABOUT BOAB! HE NEVER BRINGS ENOUGH TAE EAT ON THESE SCHOOL TRIPS AN' USUALLY EATS MINE. WEEL, NO' THIS TIME.

IT'LL COST ME ALL MY POCKET MONEY, BUT IT'LL BE WORTH IT.

PECH! WHIT A WEIGHT. I THINK I'VE LOST HALF A STONE CARRYIN' A' THIS STUFF.

AW, NO. I TOOK SO LONG GETTIN' THIS FOOD, I'VE MISSED THE BUS. WHIT A SCUNNER.

WEEL, I'M NO' GOIN' TAE SCHOOL IF NANE O' MY PALS ARE THERE...

...AN' I'VE JIST HAD A BRAW IDEA WHIT TAE DO WI' A' THIS FOOD.

LATER...
WELCOME HOME LADS
COME ON IN, LADS. I MISSED YE WHILE YE WERE AWA, SO I'VE LAID ON A SLAP-UP FEED FOR YE!
WEEL, WE MISSED YE TOO, SO BROCHT YE SOME PRESENTS FRAE THE TRIP.

MAN, WHIT A BRAW FEED - AN' A DAY AFF SCHOOL. THE VERY DAB!
STARVIN'

PLAQUES APPEARIN' AROUND THE TOON HELP MURDOCH TRACK A CULPRIT DOON.

I THINK I'LL AWA INTAE TOON.

WHIT'S A' THE EXCITEMENT ROOND HERE?

OCH, IT'S JIST THE PROVOST UNVEILIN' SOME PLAQUE OR ITHER.
ON THIS SPOT, THE DUKE OF AUCHENSHOOGLE CHALLENGED THE DUKE OF MUCH TO A DUEL- MAY 1730

ON THIS SPOT, THE DUKE OF AUCHENSHOOGLE CHALLENGED THE DUKE OF MUCHTY TO A DUEL- MAY 1730
1730? THAT'S ABOOT TWA HUNDRED AN'... WEEL, IT'S IN THE AULDEN DAYS, ONYWAY!

FOWK WILL BE WANTIN' TAE READ ABOOT MAIR UP TAE DATE EXPLOITS.
Wullie's Shed

AND...
NEAR DONE, AN' MUCH MAIR INTERESTIN' THAN TWA FOGEYS DUELLIN'.

SO...
THIS IS A SITE O' GREAT LOCAL INTEREST.

On This SPOT Oor Wullie SKITED PC MurDOCHS CAP OFF WI A BOOMArANG MARCH
NOO, ONTAE THE NEXT HISTORIC SPOT.

Site 'o' BATTLE Atween Wullies Gang An Syme Street SQUAD Febryoory
THIS HAS TAE BE COMMEMORATED.

THE BATTLE RAGED ON FOR A FU' FIVE MEENITS A'FORE THE RETREAT!
IT'S THE LAW! RUN!
PECH! WHIT'S A' THIS? PANT! COME AWA BACK HERE!

AND...
ORCHARD KEEP OUT
ANITHER GRAND TRADITION CELEBRATED!
GRAND BANKWET HELD HEAR AS SOON AS THE APPLES RIPEN.

THE TOON SHOULD BE PROUD O' MA ACHIEVEMENTS. THEY'RE GUID ENOUGH FOR THE HISTORY BOOKS.

CAUGHT UP WI' YE AT LAST, WULLIE!
WHIT FOR? I'VE NO' BEEN UP TAE ONYTHIN' LATELY!

MAYBE NO', BUT YE'VE CLEARED UP A FEW HISTORICAL MYSTERIES FRAE MY BOOKS.
ACH! ME AN' MA BIG PLAQUES!

ON THIS SPOT OOR WULLIE WIS PUT UNDER HOOSE ARREST AN NO ALOUD OOT FOR A HALE WEEK.

THE LADS' JAWS ARE SURE TAE DROP,
WHEN THEY MEET AUCHENSHOOGLE'S ROBO-COP!

I LOVE THIS SHOW!
AYE, WE A' DAE.

WE SHOULD BUILD OOR AIN ROBOTS!
GUID IDEA!

HOW ABOOT BOAB AND I HAE A TEAM AGAINST SOAPY AN' ECK?

LATER...
WE'LL FIND WHIT WE NEED IN HERE! PA'S GOT LOADS O' SCRAPS.

CRASH!
WALLOP!
BANG!

THE NEXT DAY...
TIME FOR THE BIG REVEAL.

MEET SIR BASHALOT!

AYE, WELL, MEET CLAWMAGEDDON!

CRUNCH!
CRIVVENS!

WHIT'S HAPPENIN'?
THEY'RE STUCK!

THEY'RE OOT O' CONTROL!
ROLL!

MICHTY ME!

ARE THEY YOUR ROBOTS ON THE RAMPAGE? DINNAE WORRY, LADS. I HAE A SOLUTION.

RO-BOBBY ONE WILL SAVE THE DAY. I'M A ROBO-BATTLES FAN MYSELF!
BLAM!
BLAM!
BLAM!
POLICE

GROAN! THE LAW HAS WON THIS BATTLE.

COMPUTER GAMES ARE AN AWFY BORE COMPARED TAE PLAYIN' OUTDOORS.

WULLIE'S AWA TAE BED.

HAVE YOU SEEN THE NEW TABLET?
I'VE AN IDEA WHAUR IT MICHT BE.

LOOK, WULLIE'S READING BY TORCH UNDER THE DUVET.
NOT NOWADAYS, PA.

SWITCH OFF, SON. TIME TAE SLEEP.

THE NEXT MORNING...
WULLIE, ENOUGH TABLET. GIE IT A BREAK.
BUT WHAT WILL I DAE?

COME ON, WE'LL GO HIKING UP GLEN QUAICH, LIKE WE USED TAE DO.
AYE, OKAY THEN.

WE'LL LEAVE THIS BEHIND.
OCH! I'LL JUST HAE A WEE SHOT AT DENNER TIME.

THIS IS BRAW, BUT I'M GETTING HUNGRY.

SOON BE READY.
TARZAN IS STARVING.

THEN...
I HAE TAE SWIM FAST OR I'LL FREEZE.

I'M DEAD BEAT, I'M GOING AWA TAE BED. G'NICHT.

WE'LL GET THE TABLET TONIGHT, MA.

BUT...
WULLIE, WAKE UP. HOW DAE YE WORK THE TABLET?
SHAKE!

PARENTS TODAY, WHAT ARE THEY LIKE?

WATER PISTOLS ARE AYE FUNNY
WHEN THE WEATHER'S BRAW AN' SUNNY!

WHIT BRAW WEATHER WE'RE HAEIN'.

FOWK ARE STARTING TAE SUNBATHE.

IT'S WATER PISTOL WEATHER. JUST HAE TAE LET THE TAP RUN REALLY CAULD.

IS THAT AN ICE CREAM YE HAE, BOAB?
NAW, YE NUMPTY. IT'S AN ICE LOLLY.

I'M RIGHT, IT'S DEFINITELY A SCREAM!
SHRIEEEK!

IT'S SO WARM, MUMMY AND I ARE GOING DRIVING WITH THE TOP DOWN, WILLIAM.
WATCH OOT FOR SUDDEN SHOWERS.

THERE'S ONE NOW.
EEEK!

THERE'S SOMEBODY READY FOR SUMMER. I'LL GIE THEM A FLEG.

ARGH! THAT'S AN ASSAULT ON A POLISMAN.
P-PC M-MURDOCH? WHAT ARE YE DAEIN' DRESSED LIKE THAT?

I'M GOING ON MY HOLIDAYS. BUT I'VE STILL TIME TAE SEE TAE YOU. BRING THAT WATER PISTOL.
AW, JINGS!

WHILE I'M AWA, YE'VE TAE COME WI' YOUR WATER PISTOL EVERY DAY...

...AND WATER A' MY BONNIE POLIS PLANTS, OR I'LL PUT YE IN THE JILE.
I'LL DAE IT.

THAT WEEK...
HUH! THIS IS NO' MUCH FUN.

NEVER THOUGHT I'D SAY THIS, BUT I WISH PC MURDOCH WOULD COME HAME.

OOR WULLIE'S HELPIN' PA,
BUT HIS MEMORY'S NAE USE AT A'.

HE'S HELPIN' PA...

PUTTIN' TOGETHER THIS NEW CHEST O' DRAWERS FOR YOUR MA IS A TWO-MAN JOB, SON.
I'LL HELP YE.

RIGHT, WULLIE. IF YOU CAN JUST PASS ME THAT...

WHAUR WOULD I FIND THAT, PA?
...OOYAH!
CRUNCH!

NEVER MIND, SON.

SOON...
WE'LL NEED TAE GLUE IT IN PLACE FIRST. WHAUR DID YOU PUT THE GLUE, WULLIE?

I THINK I LEFT IT IN HERE.
CRUNCH!

MY HEID!
MICHTY! SORRY, PA.

THROB!
I SHOULD HAE STAYED IN BED THIS MORNIN'.

THEN...
I HAD THE GLUE EARLIER. NOW WHAUR DID I LEAVE IT?

JIST SIT DOON AND THINK ABOUT WHAUR YE LEFT IT.

RIGHT, PA. I'LL USE MY BRAINS TAE FIND IT.

WHEN DID I HAE IT LAST?

WULLIE, WOULD A CUP O' TEA AND BIT O' CAKE HELP YOUR MEMORY?
THAT'S THE VERY DAB, MA.

OH, JINGS! I REMEMBER NOO.

THE LADS THINK IT WOULD BE GUID IF THEY COULD LIVE IN THE WOODS!

HAVE YE HEARD ABOOT THE LAD THAT'S BEEN LIVIN' IN THE WILDS FOR YEARS?
IT'S IN A' THE PAPERS!
AYE, RICHT ENOUGH. HANG ON, I'LL GET SOME SUPPLIES.

SOON...
STOORIE WOODS IS A BRAW PLACE TAE SET UP CAMP.

WE'LL NEED A LOOK-OOT IF WE'RE TAE MAK' SURE NAEBODY FINDS US WHILE WE'RE OOT HERE. UP YE GO, BOAB.

PECH... PUFF...
YE'LL BE RELIEVED IN EIGHT HOURS' TIME WHEN YE HEAR MY HOOTIN' OWL SIGNAL.

I'LL BE RELIEVED IF I EVER GET DOON FRAE HERE IN ONE PIECE!
OCH, BOAB!

THEN...
HELP!
OOYAH!

NEVER MIND THE LOOK-OOT. WE'LL NEED SHELTER IF WE'RE TAE BIDE OOT HERE FOR TWENTY YEARS.
AYE, AN' THIS LEAN-TO FITS THE BILL JIST BRAW.

HERE, THIS IS GRAND.
NAEBODY NAGGIN' US TAE TIDY IT UP, EITHER.
AYE, WE'RE WARM AN' DRY AN'...

WHUMP!
HELP!

HELP MA BOAB. I'LL NO' BE BRANCHIN' OOT INTAE ARCHITECTURE WHEN I GROW UP.
BEST NO' TAE.

I'M GETTIN' HUNGRY. WE'D BETTER TRY AN' CATCH SOMETHIN' TAE EAT.

SOAPY AN' BOAB CAN GATHER ROOTS AN' BERRIES WHILE WE CATCH A TROUT, ECK.
BRAW!

BUT...
WEEL, WE CAUGHT THIS FROG.
AN' WE CAUGHT THIS AULD SANDWICH WRAPPER.

C'MON LADS. I KEN A RARE PLACE TAE KEEP WARM AN' DRY AN' HAVE PLENTY TAE EAT, TOO.
OH? WHAUR IS IT?

MY HOOSE! WHO WANTS TAE BIDE IN A WOOD FOR TWENTY YEARS, ONYWAY?
AYE, THERE'S NAE PLACE LIKE HAME!

D.

OOR WULLIE'S TENNIS BA'
CAUSES A BIT O' TROUBLE FOR PA.

IF I'M GOING TAE WIN WIMBLEDON IN A FEW YEARS, I NEED TAE PRACTISE.
I'LL HAE A RALLY WI' THE OUTSIDE WA'. WE'VE PLAYED AGAINST EACH OTHER BEFORE AND I'VE AYE WON.
THUD!
PING!
UNFORTUNATELY, MA IS NAE JUDY MURRAY...
PA, DO SOMETHIN' ABOOT THAT LADDIE O' OORS. THAT BA' ON THE WA' IS DRIVING ME MAD.
THUD! THUD! THUD! THUD!
WULLIE, YOUR MA SAYS...
THUD!
...OOF!
SORRY, PA! I'LL TRY THAT BACKSPIN LOB THING ANDY MURRAY PLAYS INSTEAD.
GOOD IDEA, SON. HAND ME YOUR RACKET.
TRY SKELPIN' YOUR BA' AFF THE SHED INSTEAD.
WHACK!
WHIT A BRAW SHOT! YE COULDNAE DO THAT AGAIN IF YE TRIED.
BUT...
THUMP!
WHA DID THAT? I BET IT WAS THAT SCAMP, WULLIE.
MICHTY, PA'S GONE AND DONE IT NOO.
WHIT'S THE MEANIN' O' THIS? KNOCKIN' AFF A POLIS OFFICER'S HELMET'S AN OFFENCE!
IT WAS AN ACCIDENT, PC MURDOCH. I DIDNAE MEAN ONY OF IT.
I'LL HAE TAE REPORT YE, I'M AFRAID.
OH, JINGS!
I BELIEVE THIS TROUBLEMAKER IS YOURS!
PA! WHAT EXAMPLE IS THIS TAE SHOW WULLIE!
I DINNAE KEN ABOOT WIMBLEDON, BUT MA'S SENT ME TAE COVENTRY.
POOR AULD PA. AT LEAST IT'S NO' ME IN TROUBLE FOR ONCE.

WATCH OOR WULLIE AS HE TROTS, DRESSED AS THE FITBA TEAM'S MASCOT.

WULLIE, YE'RE NEEDED AT THE FITBA GROUND!
MY TALENT HAS BEEN RECOGNISED.

IT'S THE CALL UP FOR THE SUMMER LEAGUE.

AT THE JUNIORS' GROUND...
OOR MASCOT'S NO' WEEL. YOU'LL HAVE TAE WEAR THE COSTUME!

ACH, I SUPPOSE IT'S BETTER THAN NOTHIN'.

PITY OOR NICKNAME'S 'THE PIGS'. THERE USED TAE BE A FARM HERE.
WHA ARE WE PLAYIN' THE DAY?

WE'RE UP AGAINST WOODSIDE WOLVES.
JINGS! THEY'RE A ROUGH TEAM.

I'LL JIST DRIBBLE ROOND THEIR MASCOT.

AND THE PIG LEAVES THE WOLF STANDIN'.

YOU'RE GOIN' NAEWHERE, PORKY!
FOUL, REF. AN' THAT'S WULLIE TAE YOU!

AND...
THUMP!
WOLVES AN' PIGS AYE CAUSE TROUBLE.

BREAK IT UP, YOU TWA! YE'RE WORSE THAN THE PLAYERS.
KICK!

AN EARLY BATH FOR YOU TWA.
THE PIG NEEDS ANE...

I'M A DISGRACE TAE THE AUCHENSHOOGLE JUNIORS, AND TAE PIGDOM.

IS THAT YOU, WULLIE? YER TEA'S READY!

A BACON ROLL. YOUR FAVOURITE!
I CANNAE EAT THAT. I'M NO' A CANNIBAL!

GRUNT!

HOW COULD WULLIE'S BUCKET PAY FOR A FIVE-STAR HOLIDAY?

NAE WULLIE? NAE BUCKET?

WHAUR'S MY BUCKET GONE?

SEEN ONY BUCKETS, POSTIE?
SORRY, WULLIE, BUT THERE'S A POSTCARD THAT MICHT CHEER YE UP.

JINGS! MY BUCKET'S RAN AFF TAE SEE THE QUEEN.
BUCKINGHAM PALACE

NEXT DAY...
ANOTHER POSTCARD FOR YE, WULLIE.
WHIT, ANITHER?

IT'S IN FRANCE, NOO. I DIDNAE KEN IT HAD A PASSPORT.
PARIS

AND...
WHAUR'S IT GOT TAE, NOO?

IT'S SUNNIN' ITSELF IN MAJORKY!
Mayorca

NEXT DAY...
I KENT MAIR WOULD COME!

PISA
JINGS! THE LEANIN' BUCKET O' PISA!

I WONDER HOW A SINGLE BUCKET CAN SAVE UP A' THAT TRAVELLIN' MONEY.

IT'S A MYSTERY, IS WHIT IT IS.

OCH, WAIT. MAYBE IT'S NO' THAT MYSTERIOUS!
5 DAY WHIRLWIND TOUR OF EUROPE

AT BOAB'S...
AS I THOUCHT... THEY'RE SUSPICIOUSLY AFF ON HOLIDAY.

THAT NICHT...

AND...
HELLO! YE'RE BACK!

OCH, YE SHOULDN'T HAE.

MY BUCKET'S GLAD TAE BE HAME AN' IT'S WELCOME BACK!

PA'S AS SLY AS A FOX
ASKIN' WULLIE TAE MIND HIS BOX.

WHIT'S THIS, PA?
WEEL, IT'S A BOX...

...BUT IT'S A SPECIAL BOX AN' I'M TRUSTIN' YOU TAE LOOK EFTER IT, WULLIE. AN' WHITEVER YE DAE, DINNAE DARE OPEN IT!

PA CAN TRUST ME, I CAN FOLLOW AN ORDER!

WHIT'S THIS YE'RE CARTIN' ABOOT, WULLIE?
LET'S SEE WHIT'S IN IT.

I'D LIKE TAE OBLIGE YE, LADS, BUT I'VE SWORN NO' TAE OPEN IT!
WELL, WELL!

I'LL SAY THIS FOR WULLIE, HE'S A MAN O' PRINCIPLE. A LESSER MAN WOULD'VE SNEAKED A LOOK BY NOO.

YE'VE GOT TAE WONDER WHIT THE BIG SECRET IS, THOUGH.

MAYBE IT'S PA'S ENTRY FOR THE EUROVISION SONG CONTEST, AN' IT'S NO' FIT TAE BE LET OOT.

THEN...
HEY! THERE ARE AIR HOLES ROOND THIS SIDE. PA MUST HAE A KING COBRA IN THE BOX!

OCH, I'M JIST BEIN' DAFT. SURELY PA WOULD NEVER LEAVE ME IN CHARGE O' A BIG SNAKE?

WHIT'S SO SCARY THAT IT CANNAE BE LET OOT ON THE STREETS O' AUCHENSHOOGLE? THERE'S ONLY ONE LOGICAL ANSWER...

...PA'S CAUGHT A MONSTER AN' PUT IT IN THIS BOX!

BUT I'M NO' FEART O' MONSTERS, AN' I'VE NEVER SEEN A REAL, LIVE ONE.

I'LL JIST HAE ONE WEE LOOK. HEY! WHIT'S THIS?

'TEN MEENITS'? WHIT DOES THAT MEAN?
10 MINUTES

HA-HA! THAT'S HOW LONG I THOUGHT YOU COULD LAST WI'OOT OPENIN' THE BOX, YE WEE NOSEY-PARKER.
WHIT A CHEEK!

BUT I LASTED TWELVE MEENITS, SO PA BOUGHT ME A CONE!

WULLIE PROVES THAT HE CAN CLIMB – BUT WILL HE REACH HIS PALS IN TIME?

HE'S OOT WI' HIS PALS...

WOULD YE LOOK AT THEY AIPPLES.
THEY COULD BE OORS.
I CANNAE TAKE MY EYES AFF THEM.

I'LL CLIMB THE TREE AN' CHUCK THEM DOON TAE YOU.
CREEP!
BRAW IDEA.

NEARLY THERE.
HURRY UP, WULLIE!

SNAP!
OH, JINGS!

CRUNCH!
OOYAH!

YOU CANNAE BE OOR CHIEF IF YOU CANNAE CLIMB PROPERLY.
AYE! YOU'RE FIRED, WULLIE.
MICHTY! BUT I GOT YE THE AIPPLES, LIKE I PROMISED...

LATER...
I'LL SHOW THEM I'M THE BEST CLIMBER. I'VE GOT MAW'S BEST WASHING LINE TAE HELP WI' MY MOUNTAINEERING.

I'M NO' SURE GETTING TAE THE TOP O' STOORIE BRAE COUNTS AS MOUNTAINEERING, MIND. IT'S A BRAW VIEW, THOUGH.

JINGS! A BRAW VIEW O' MY PALS WALKIN' RICHT INTAE TROUBLE WI' FARMER GREY'S GRUMPY AULD BULL.
SNORT!

THEY'LL NEVER GET OWER THAT WA'.

CRIVVENS! RUN, BOAB!
A CLEVER LAD AYE HAS A PLAN.
SNORT!

OOT THE FIELD, LADS. CLIMB UP, QUICK!

YE SAVED US, WULLIE. THAT AULD BULL HATES FOWK CUTTIN' ACROSS HIS FIELD.
HE'LL NO' GET YOU THE DAY.

I'LL NEVER HAE TAE CLIMB AGAIN – THE LADS WILL CARRY ME.
WULLIE'S THE BOY!

AYE, THERE'S BEEN PLENTY O' UPS AN' DOONS THE DAY.

PRIMROSE'S SIGNIN' FEE MAK'S WULLIE BEAM
BUT SHE'S WORTH HAEIN' ON THE TEAM!

HE'S AT THE PARK...

WHIT'S THE SIGNIN' ON FEE?
WULLIE'S 5-A-SIDE TEAM SIGN ON
OH, I HADNAE THOCHT O' THAT.

TWA BEANOS AN' A DANDY? YE'VE A HIGH OPINION O' YERSEL'!
A BARGAIN. IT SHOULD HAE BEEN THREE BEANOS!

WE'LL SIGN TAE.
BUT WE DINNA WANT COMICS.
WULLIE'S 5-A-SIDE TEAM SIGN ON

HUH! I MICHT HAE GUESSED YOU TWA WOULD COST SWEETIES.
SOOK!
BRAW!

WE NEED ONE MAIR TAE MAK' UP THE TEAM.

BUT WHO?
ME. MY DADDY TAUGHT ME TO PLAY.

SEE?
WOW!
WULLIE'S 5-A-SIDE TEAM SIGN ON
WHIT'S YER SIGNIN' ON FEE, PRIMROSE?

NOT COMICS OR SWEETS ANYWAY.
NO' CASH? I'M SKINT!

AW, CRIVVENS! NO' THAT!
CHEEP!
YOU'RE TOO WEE TAE SEE THIS, ECK.

THE THINGS A CAPTAIN MANAGER HAS TAE DAE.
WIPE!

SO...
OOR FIRST GAME'S AGAINST PETER'S HEID-BANGERS!
TOO EASY. A LASSIE AN' A SHRIMP IN THE GOAL!

JINGS! SHE CAN PLAY A BIT.

TO YOU, WILLIAM.

YESSS!
NOD!

WELL DONE, YOU SCORED!
NO-O-O!

YES!
GET AFF!

FITBA'S JIST A LASSIE'S GAME ONYWAY!

WHEN THERE ARE JOBS NEEDIN' DONE, WULLIE'S SURE TAE HAVE FUN.

I'M POOR WULLIE THIS WEEK. I HAVENAE GOT A BEAN.

WE'RE GOIN' TAE THE PICTURES LATER WULLIE. ARE YE COMING?
I CANNAE. I'VE GOT NAE MONEY.

WELL, WE'RE STILL GOING. YOU'LL JIST HAE TAE MISS OOT.
JINGS! DUMPED BY MY PALS. MAYBE I CAN MAKE A FEW EXTRA QUID.

DO YOU HAE ONY JOBS NEEDIN' DONE, MR GARVIE?
AYE, WULLIE. I HAVE A FEW THINGS THAT NEED DAEIN'.

THE EARLY CROP O' APPLES NEEDS TO COME AFF MY TREE.
EASY. I'VE PINCHED THEY APPLES OFTEN ENOUGH.

EXCEPT BOAB AND SOAPY ARE USUALLY HERE TAE HELP.
YE'RE OWER WEE FOR THAT, WULLIE. YOU CAN PICK UP MY MESSAGES INSTEAD.

SOON...
JINGS! MR GARVIE FAIR EATS A LOT FIR A MAN WHA LIVES ALONE. THIS THING WEIGHS A TONNE ALREADY.

IT'S JIST AS WEEL I'M NO' CARRYING THESE TAE AULD MR GARVIE'S HOOSE. I'M DRIVING HAME.

THE EXTRA WEIGHT IN THE BACK IS MAKIN' IT HARD TAE STEER.

MICHTY! THE BRAKES ARE NO' WORKIN'.

CRUNCH!
HELP MAH BOAB!

YOU DID BOTH JOBS. WHIT A LAD YOU ARE, WULLIE.
OH, AYE! IF YOU NEED A JOB DONE, I'M YER MAN.

MEANWHILE...
WULLIE WILL BE DISAPPOINTED TO NO' SEE THE FILM.
THAT HE WILL.

WHIT KEPT YOU, LADS? YOU NEAR MISSED THE TRAILERS.
HOW DID YOU GET IN? I THOUGHT YOU WERE BROKE.

THAT WAS A BRAW FILM - AND BOAB AND SOAPY'S FACES WERE A PICTURE, RIGHT ENOUGH.

WULLIE'S PUTTIN' ON QUITE A SHOW
WI' HIS HAME-MADE RADIO.

I'M GOIN' ON THE AIRWAVES THE DAY.

GOOD MORNIN'! THIS IS RADIO AUCHENSHOOGLE CALLIN' ON THE OCEAN WAVE.

FOR THE FORECAST, WE'LL GO OWER TO PRIMROSE, THE WEATHER GIRL.

AND WITH THE WONDERS OF MODERN TECHNOLOGY...

...I CAN TELL YOU THAT IT'S RAINING.

THANKS, PRIMROSE. NOW OWER TAE BOAB FOR THE BREAKFAST RECIPE.

MMF - MMF - FMMF.
WHIT ARE YE TRYIN' TAE TELL US, BOAB?

I'M AFRAID BOAB COOKED THE RECIPE FOR BACON AN' EGGS, THEN ATE IT.

AN' NOW, LISTENERS, WE'LL BRING YE SOME CLASSIC MUSIC.
COURTESY O' WEE ECK. COME ON IN, MAESTRO.

JINGS! A FEW MAIR LESSONS ARE NEEDED.

KEEP THAT CAT QUIET IN HERE, WILL YE?

THAT WAS A QUICK MESSAGE FRAE THE LOCAL CONSTABULARY.

NEXT UP, JUGGLIN' WI' SOAPY.

IF ONLY YOU LISTENERS COULD SEE THIS.

NOO, A WORD FRAE OOR SPONSOR, TONI FRAE THE CHIPPER.

THANKS FOR THE-A-PLUG, FOLKS.
EVEN THOUGH NAEBODY CAN HEAR US.

SIGNIN' AFF.

WULLIE WILL AYE GO OOT TAE PLAY – EVEN ON A DROOKIT DAY!

YOU'RE NO' GOING OOT IN THAT, WULLIE. YOU'LL GET SOAKED.
MA, IT'S ONLY A DROP O' WATER.

I'LL JIST HAE TAE ENTERTAIN MYSELF IN MY ROOM...

...OR I CAN CLIMB OOT AND GO TAE PLAY.

SOON...
I'LL MEET THE LADS AT THE PARK.

MICHTY! I SHOULD HAE DRIED THE SEAT FIRST.

THERE'S THE LADS. THEY ESCAPED FOR A GAME AS WEEL.

A BIT O' RAIN MAKES THE PITCH BETTER TAE PLAY ON. A' THE BIG NAME PLAYERS KEN THAT.

MAKES GOALS HARDER TAE SAVE, THOUGH.
BOOT!

YOU GET A RICHT GUID SLIDING SAVE...

...IT MEANS A GUID LANDING TAE.

LATER...
WHIT A BRAW DAY. THERE'S NOTHIN' WRANG WI' A BIT O' RAIN.

WULLIE! HOW DID YOU GET SO DIRTY IN YOUR AIN ROOM?

COME WI' ME. IT'S NOTHIN' A DROP O' WATER WON'T FIX.
TUG

MOTHERS JIST DINNAE UNDERSTAND.

REDECORATIN' CAN BE AWFY TRICKY,
BUT WHY'S WULLIE BEIN' SO PICKY?

THE IDEAL HOOSE EXHIBITION, JIST WHIT I'M LOOKIN' FOR!
IDEAL HOUSE EXH

ARE YOU SURE YOU'RE IN THE RIGHT PLACE, SONNY?
OH, AYE. THIS IS THE IDEAL HOOSE EXHIBITION, ISN'T IT?

I'LL BE DOIN' A TOTAL REFURBISHMENT JOB. NEW BEDDIN', EATIN' AREA, EXERCISE AREA - THE LOT! NAE EXPENSE SPARED, EITHER.
OH! IN THAT CASE, SIR SHOULD FOLLOW ME!

WE HAVE SINGLE BEDS, DOUBLES, KING SIZE, FUTONS... SOMETHING FOR EVERYONE!
HMM! THAT'S GOOD, AND WHIT ABOOT MEAL PREPARATION?

IF SIR WOULD LIKE TO TAKE A LOOK AROUND, HE'LL FIND ALL THE VERY LATEST KITCHEN TECHNOLOGY.
FINE, BUT I'LL ONLY BE MAKIN' CHEESE SALADS. WHIT ABOOT AN EXERCISE AREA?

WELL, WE HAVE EVERYTHING SIR MAY REQUIRE FOR HIS HOME-BASED EXERCISE AREA...
HUH! YE WOULDNAE GET FAR UP STOORIE BRAE ON THIS!

THIS IS A' BRAW, BUT IT'S A BIT BIG. HAVE YE NO' GOT ONYTHING SMALLER?
BIG? WHAT DO YOU MEAN? HOW MUCH DO YOU WANT TO SPEND, EXACTLY?

TWO POUNDS FIFTY, AN' NO' A PENNY MORE!
WHAT? IS THIS SOME KIND OF JOKE?

NO. I'M LOOKIN' FOR STUFF FOR JEEMIE'S CAGE. HE DESERVES THE BEST MONEY CAN BUY!
EEK!

OUT! AND TAKE YOUR RODENT WITH YOU!
LESS O' THE 'RODENT'. YE'LL HURT HIS FEELINGS!

BACK HOME...
WEEL, IT LOOKS LIKE YE'RE STUCK WI' THE SAME AULD BED, GYM AND KITCHEN YE'VE AYE HAD, JEEMIE, MY LAD.

MAYBE WE SHOULD OPEN AN IDEAL MOOSE EXHIBITION, EH, PAL?

HERE'S ONE THAT'LL MAK' YE GRIN -
THE LADS ARE RACIN' WHEELIE BINS!

THINK I'LL AWA FOR A WALK.

JINGS! WHIT'S ECK UP TAE? IT'S NO' BIN DAY.

HERE, ECK. THE BIN MEN COME AN' EMPTY IT FOR YE. YE DINNAE NEED TAE TAK' IT TAE THE TIP YERSEL'.
AYE, I KEN THAT!

NOO, ARE YE GONNAE JIST BE A SMART ALEC OR ARE YE GONNAE GIE'S A HAND?
OCH, CAN I NO' DAE BOTH?

MICHTY! WHIT HAVE YE GOT IN HERE, SACKS O' AULD TATTIES? IT WEIGHS A TON AN' A HALF.

CHEEK! I CANNAE HELP BEIN' HEAVY. I'M BIG-BONED.
WHIT?

WE'RE MEANT TAE BE TAKIN' TURNS GETTIN' A HURL AN' I'VE NO' HAD MY TURN YET!
YE WOULD IF YE'D HURRY IT UP. IT'S BEEN MAIR O' A CRAWL THAN A HURL.

OOT, YOU! THERE'S A FAR EASIER WAY TAE GET A HURL OOT O' ANE O' THESE.

PUFF! IT MICHT BE EASIER, BUT IT'S NO' SO MUCH FUN.
QUIT GRIPIN'. YE'LL SEE WHIT'S UP WHEN WE REACH THE TOP.

AN' HERE WE ARE AT THE VERY SUMMIT O' STORIE BRAE. PILE ON, LADS.
WHIT? YE CANNAE BE SERIOUS. IT'S LIKE THE SOUTH FACE O' EVEREST, ONLY STEEPER!

FEART?
US? FEART O' A WEE HILL? LET'S GET GOIN'!

THIS IS BRAW! THE WIND IN YER HAIR.
AYE, AND THE FLIES IN YER TEETH!

JIST ANE WEE THING, LADS. HOW DAE WE STOP?
WHIT EEJIT DESIGNED A BIN WI'OOT BRAKES?

GUID JOB I LEARNED TAE DRIVE BY WATCHIN' A' THEY AMERICAN COP SHOWS!
HOP!

CRASH!

OCH, THAT WAS SAIR!
HELP! MA HEID'S IN A BUCKET!

YOUR KIND ARE A' THE SAME. TRAITORS!

OOR WULLIE KENS THE BEST WAY TAE CELEBRATE HIS PAL'S BIRTHDAY.

IT'S MY BEST PAL'S BIRTHDAY THE DAY. I'LL HAVE TAE BUY HIM A PRESENT.

HMM. TWENTY-SEVEN PENCE. IT'S NO' MUCH TAE BE GOIN' ON WI'.

I'VE GOT AN IDEA, THOUGH. I'LL TAK' MY MOOTHIE, AND MY BUCKET!

SHORTLY...
NO' BAD AT A', LADDIE.

AND SOON...
HELP MY BOAB! LOOK AT A' THIS CHANGE. I'VE PLENTY O' MONEY FOR THIS BIRTHDAY PRESENT NOO.

CARD SHOP & M.
HE'LL NEED A CARD AS WEEL. A BIRTHDAY'S NO' A BIRTHDAY WI'OOT A CARD.

HMM, I DINNA THINK MUCH O' THESE. THEY'VE A' GOT CATS ON THEM. NO' MUCH O' A CAT LOVER, IS MY BEST PAL.

I'LL NO' BOTHER WI' A CARD. I'M SURE HE'D APPRECIATE A GIFT ON ITS OWN.

GIFTS FOR MUMS, GIFTS FOR DADS, GIFTS FOR GOLFERS, BUT NAE GIFTS FOR BEST PALS! WHIT NOO?

I'VE GOT IT. I'LL TAK' HIM FOR A SLAP UP FEED!

WOULD SIR LIKE TO ORDER?
AYE, AN I'LL GO FOR THE SWEETS! WHIT'S TODAY'S SPECIAL?

LEMON MOUSSE, SIR.
LEMON MOOSE?

ARE YE TRYIN' TAE RUIN JEEMIE'S BIRTHDAY?
WHAT?!
NICE BIT O' BUTTER THAT WAS, WULLIE.

I'LL NO' HAE THAT KIND O' TALK IN FRONT O' MY BEST PAL. COME ON, JEEMIE. WE'RE OOT O' HERE!
WAS THAT A MOUSE IN THE BUTTER DISH?

THEN...
I KEN WHAUR TAE GET YE A BRAW BIRTHDAY PRESENT, JEEMIE. AT FARMER GRAY'S DAIRY!

FRESH CHEDDAR CHEESE. YER FAVOURITE!

BRAW!

OOR WULLIE'S TRYIN' TAE FIND A WAY
TAE MAK' THE HOURS PASS IN THE DAY.

THERE'S A BIG FITBA GAME ON THE TELLY TONIGHT. SCOTLAND'S MATCH O' THE SEASON!
SCOTLAND

HOW LONG TILL KICK OFF, PA?
AGES YET, WULLIE. BUT THE TIME WILL GO FASTER IF YOU KEEP BUSY. HARRY NEEDS A GUID WALK.

SOON...
THIS IS BRAW FUN, HARRY. FETCH!

LATER...
PUGGLED!
THAT'S HIM TIRED OOT. BUT IT'S ONLY HALF PAST THREE, THERE'S STILL HOURS TAE GO!

THERE MUST BE SOME WAY TAE MAK' THE TIME PASS FASTER.

HAUD ON! JUICE BOTTLES. I CAN TAK' THEM TAE THE SHOP AND CASH THEM IN.

PHEW! IT'S A FAIR WAY. I'M STARTIN' TAE GET A WEE BIT PUGGLED MYSEL'!

FOUR BOTTLES. THAT WILL BE...
NO' YET, MISTER. THERE'S MAIR. I'LL BE BACK.

SEVERAL TRIPS LATER...
MICHTY, THAT'S A LOT O' BOTTLES. HERE YE GO, LADDIE.
THANKS, MISTER. IS THAT THE TIME?! I NEED TAE GET BACK HAME.

GUID THING I BROUGHT MY CARTIE. THIS'LL GET ME HAME QUICK.

I'VE GOT TAE GET IT UP THIS HILL FIRST, THOUGH. JINGS, IT'S STEEP!
PECH!

BUT...
OCH, NO! THE WHEEL'S FALLEN AFF. I'LL HAE TAE RUN A' THE WAY!

PUFF! JUST IN TIME. COME ON, SCOTLAND!
AYE, THIS IS GONNAE BE THE GAME O' THE SEASON, WULLIE.

SOON...
CRIVVENS, HE MUST BE EXHAUSTED. FIVE MINUTES GONE, AND HE'S FAST ASLEEP.
GOAL!
SCOTLAND

ZZZZZ

CAN WULLIE'S DAY GET ONY WORSE, WHEN HIS ONLY FITBA BURSTS?

SOME DAYS A LADDIE JIST WANTS TAE PLAY FITBA.
THERE'S PA. HE'S AYE GUID FOR A GAME.
HEADS UP, PA!
WHIT'S THAT, SON?
JINGS!
I'M AWFY SORRY, WULLIE. IT WAS AN ACCIDENT.
I'M A BIT SHORT THIS WEEK, BUT I'LL BUY YOU A NEW BA' WHEN I GET PAID.
SOON...
THIS IS THE KIND O' LEATHER BA' WE PLAYED WI' WHEN I WAS A LADDIE. IT'S A BIT HEAVIER THAN YOUR ANE.
OOYAH!
AYE, IT MUST BE A BIT DAMP IN THE SHED. THOSE THINGS ARE SOLID WHEN THEY'RE WET.
DAE YE STILL HAE THE STOOKIE YE MUST HAE WORN AFTER PLAYIN' WI' THIS?
LATER...
SUPERSPORTS
MY SAVINGS ARENAE ENOUGH TAE BUY A SNAZZY NEW BA'. I'LL TRY ARCHIE'S ANTIQUE SHOP.
I'M SORRY, WULLIE. I DINNAE HAE A SINGLE FITBA IN STOCK.
IT'S GETTING HARD FOR A LADDIE TAE PRACTISE BEING A SUPERSTAR.
CAN I BUY THAT AULD GLOBE OFF YE?
IT'S FREE. I'VE BEEN TRYIN' TAE GET RID O' IT FOR YEARS. HALF THE COUNTRIES ON IT DINNAE EXIST NOO.
THEN...
I'VE GOT THE WORLD AT MY FEET, BOAB.
YOU'LL NEVER SCORE PAST ME.
WHIT DID I TELL YE? I SAVED THE WORLD!
BUT...
MICHTY, LOOKS LIKE THE WORLD REALLY IS FLAT AFTER A'.
SORRY ABOUT THAT, LADS. WE'LL GET YE A NEW BALL.
THANKS, MISTER.
SOMETIMES YE HAVE TAE GO TAE THE ENDS O' THE EARTH JIST TAE GET A GAME O' FITBA.

OOR WULLIE WILL GO TAE ONY LENGTH
TAE PROVE HIS HAIR HAS PLENTY STRENGTH.

ALLERGIC TAE THE BARBERS AGAIN, WULLIE?
NO. I'VE BEEN READIN' A' ABOOT SAMSON. HE LOST A' HIS STRENGTH WHEN HIS HAIR WAS CUT AFF. I DINNAE WANT THAT TAE HAPPEN TAE ME.
YE'RE NO' EXACTLY SAMSON, THOUGH.
WEEL, IT'S NO' ALL ABOOT MUSCLES. IT'S ABOOT STRONG HAIR.
WHIT, LIKE THON LASSIES GET ON THE TV ADVERTS?
AYE! AN' I'M SURE MA HAS SOME O' THAT STUFF IN OOR BATHROOM.
COME ON, LET'S TRY IT.
SO...
OOYAH! I'VE GOT SOME SOAP IN MY EEN!
WEEL, RINSE IT OOT. IT'S YER HAIR YE'RE SUPPOSED TAE BE WASHIN'.
OKAY, FOLLOW ME.
A BLOW DRY?
I'M SURE SAMSON NEVER HAD TAE PUT UP WI' THIS.
BUT JIST THINK HOW STRONG WE'LL BE, BOAB!
SOON AFTER...
RICHT, LET'S TRY OOT A' THE STRENGTH IN OOR HAIR.
JIM'S GYM
THIS IS A GUID PLACE TAE START. WE CAN SHOW A' THESE BIG LADS PUMP IRON.
HA-HA! I THINK YOU LADS SHOULD EAT MAIR PORRIDGE A'FORE YOU COME IN HERE.
NNNGH!
I CANNAE UNDERSTAND IT. WHIT WENT WRANG IN THERE?
MAYBE WE DIDNAE USE ENOUGH CONDITIONER.
AT THE LIBRARY...
AHA! I KEN WHAUR WE'RE GOIN' WRANG.
WE'RE NO' USIN' OOR HEADS. THAT'S WHERE A' THE HAIR IS, ISN'T IT? SHOVE, YOU TWA. WE CAN KNOCK DOON PILLARS, JIST LIKE SAMSON DID!
OW!
OOYAH!
THEN...
WHIT ON EARTH ARE YOU LADS UP TAE?
WELL, YE SEE, PC MURDOCH, IT'S LIKE THIS. THERE WAS A LAD CALLED SAMSON...
HA-HA! IS THAT SO? WEEL, I'VE GOT A USE FOR A' YOUR HAIRY HEIDS...
AT THE POLIS GALA DAY...
ROLL UP, ROLL UP. ALL THE FUN O' THE FAIR! SOAK THE SCAMP O' YOUR CHOICE, TEN PENCE A SPONGE.
OCH, WEEL. IT IS FOR A GUID CAUSE.
AN' EFTER A' THAT, PA CAUGHT ME AND TOOK ME TAE THE BARBERS

WULLIE'S WANTIN' TAE SKIP SCHOOL -
HE'S GOT NAE INTEREST IN WOOL.

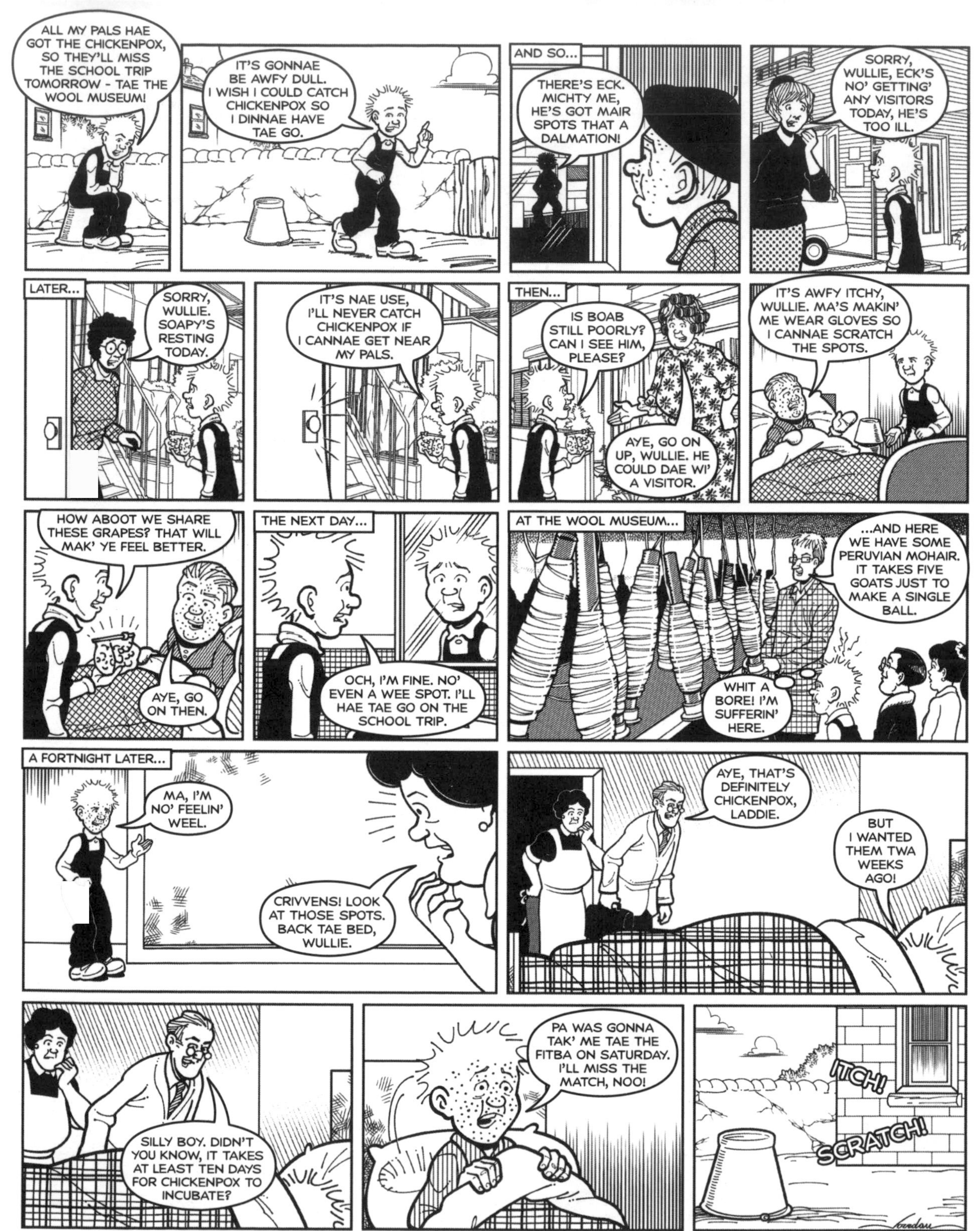

ALL MY PALS HAE GOT THE CHICKENPOX, SO THEY'LL MISS THE SCHOOL TRIP TOMORROW - TAE THE WOOL MUSEUM!
IT'S GONNAE BE AWFY DULL. I WISH I COULD CATCH CHICKENPOX SO I DINNAE HAVE TAE GO.
AND SO...
THERE'S ECK. MICHTY ME, HE'S GOT MAIR SPOTS THAT A DALMATION!
SORRY, WULLIE, ECK'S NO' GETTING' ANY VISITORS TODAY, HE'S TOO ILL.
LATER...
SORRY, WULLIE. SOAPY'S RESTING TODAY.
IT'S NAE USE, I'LL NEVER CATCH CHICKENPOX IF I CANNAE GET NEAR MY PALS.
THEN...
IS BOAB STILL POORLY? CAN I SEE HIM, PLEASE?
AYE, GO ON UP, WULLIE. HE COULD DAE WI' A VISITOR.
IT'S AWFY ITCHY, WULLIE. MA'S MAKIN' ME WEAR GLOVES SO I CANNAE SCRATCH THE SPOTS.
HOW ABOOT WE SHARE THESE GRAPES? THAT WILL MAK' YE FEEL BETTER.
AYE, GO ON THEN.
THE NEXT DAY...
OCH, I'M FINE. NO' EVEN A WEE SPOT. I'LL HAE TAE GO ON THE SCHOOL TRIP.
AT THE WOOL MUSEUM...
...AND HERE WE HAVE SOME PERUVIAN MOHAIR. IT TAKES FIVE GOATS JUST TO MAKE A SINGLE BALL.
WHIT A BORE! I'M SUFFERIN' HERE.
A FORTNIGHT LATER...
MA, I'M NO' FEELIN' WEEL.
CRIVVENS! LOOK AT THOSE SPOTS. BACK TAE BED, WULLIE.
AYE, THAT'S DEFINITELY CHICKENPOX, LADDIE.
BUT I WANTED THEM TWA WEEKS AGO!
SILLY BOY. DIDN'T YOU KNOW, IT TAKES AT LEAST TEN DAYS FOR CHICKENPOX TO INCUBATE?
PA WAS GONNA TAK' ME TAE THE FITBA ON SATURDAY. I'LL MISS THE MATCH, NOO!
ITCH!
SCRATCH!

WULLIE KENS ALL TOO WELL
YE CAN SELL CHIPS WI' THE POWER O' SMELL!

TONI'S FISH SUPPERS
I'VE GOT HALF AN HOUR TO PUT IN BEFORE TEA TIME. I'LL NIP IN FOR A WEE NATTER WI' TONI.

HOW'S BUSINESS, TONI?
AWFY QUIET, WULLIE. EVERYBODY'S FORGETTING HOW-A-GUID A BAG O' CHIPS CAN BE!

GIE'S A BAG O' CHIPS, TONI. BUT I'M NO' GOIN' TO EAT THEM.
HOW'S THIS SUPPOSED TAE HELP BUSINESS, WULLIE?
YOU'LL SEE!

STOP
GOOD. THE NUMBER 25 BUS IS A WEE BIT LATE AGAIN.

STOP
THAE CHIPS SMELL RARE.
I COULD FAIR GO A FISH SUPPER!
THAT SMELL'S MAKIN' ME HUNGRY!

NOW TAE WANDER PAST THE BUILDIN' SITE.
THAT SMELL'S GOIN' ROOND MY HEART.

WULLIE'S BECOME THE PIED PIPER O' AUCHENSHOOGLE!
THE PIE AN' CHIPS PIPER, YE MEAN!

AT THE RESTAURANT DE POSHE...
WELL, WE DID HAVE A TABLE RESERVED, BUT WE CAN ALWAYS CANCEL IT.
WHAT AN IRRESISTIBLE AROMA!

YOU DON'T GET CHIPS LIKE THESE IN THE RESTAURANT DE POSHE!

THANKS, WULLIE. BUSINESS IS-A-BOOMING AGAIN!
IT PAYS TAE ADVERTISE, EH, TONI?

BOAB'S TURNED INTO A CAT! CAN YE IMAGINE THAT?

HE'S AWA TAE BOAB'S...
WHAUR'S BOAB? THERE'S JIST THAT BOOK O' MAGIC TRICKS.
MAGI-

AN' A MAGIC WAND, AN' BOAB'S HAT, AN' A CAT! AW, NO!

THE TRICKS GONE WRANG AN' BOAB'S CHANGED INTAE A CAT!

BETTER NO' WORRY YER MAW, BOAB. I'LL THINK O' SOMETHIN'.
MIAOW!

SO...
I'D BEST JIST MAK' DOUBLY SURE THAT THE CAT IS REALLY BOAB.
DAIRY

AYE, IT'S HIM A'RICHT. THAT'S THE NOISE HE MAK'S DRINKIN' HIS MILK AT SCHOOL.
SLURP! SLOOP!

WE'LL CONSULT THE VET. NAE ARGUIN' NOO, BOAB.
MIAOW!

MY FRIEND, BOAB, HAS TURNED INTAE A CAT.

AN' YOU HAVENAE TURNED INTAE A CHEEKY MONKEY. YE'VE AYE BEEN ONE.
B-BUT...

WHIT'LL WE DAE IF YE'RE TRAPPED IN FELINE FORM FOREVER?

ONLY ONE THING FOR IT. PC MURDOCH. HIS POWERS O' KNOWIN' WHAT I'M UP TAE BORDER ON THE UNCANNY.

I'D LIKE TAE REPORT A MISSIN' PERSON.
OH, AYE?

AN' I'D LIKE TAE REPORT A MISSIN' CAT, AN' A HAT.
BOAB! YE'VE REVERTED TAE HUMAN FORM!

OCH, WULLIE, I WAS PRACTISIN' CARD TRICKS WHEN I WENT IN FOR MY DINNER.

AN' THE CAT MUST JIST HAE SAT DOON ASIDE MY MAGIC WAND AN' HAT.
JINGS! AN' I THOUCHT...

ON THE WAY HOME...
A SINGLE FISH PLEASE, TONI.
PURR!

WHIT AN IMAGINATION I'VE GOT!

IF IT'S A TAXI THAT YE NEED,
WULLIE WILL DRIVE YE AT TOP SPEED.

SIGH! SKINT AGAIN. HOW CAN I EARN SOME CASH?

SOON...
WHIT DAE YE THINK? AM I A GEENYASS OR WHIT? I'VE GOT MY AIN BUSINESS.
TAXI

AN' BUSINESS...
...IS BOOMIN'.

BUT...
HUH! SOAPY AN' BOAB HAD NAE MONEY, SO HERE'S MY FARE.

THEN...
AHA! THAT COULD BE A CUSTOMER!

NEEDIN' A TAXI?
YES, CAN YOU GET ME TO THE STATION?

HURRY UP. I'VE A TRAIN TO CATCH.
NAE BOTHER. WE'LL TAK' A SHORTCUT THROUGH THE PARK!

DUCK!

IT'S A'RICHT, WE MISSED IT!

QUICK. I NEED A SHOT O' YER BROLLY.
ER, VERY WELL.

IT'S A GUID JOB I SAW THIS DUB!

I'LL JIST HING ON TAE THIS...

...AN' YOU HING ON TAE YER HAT.
OH, I SAY!

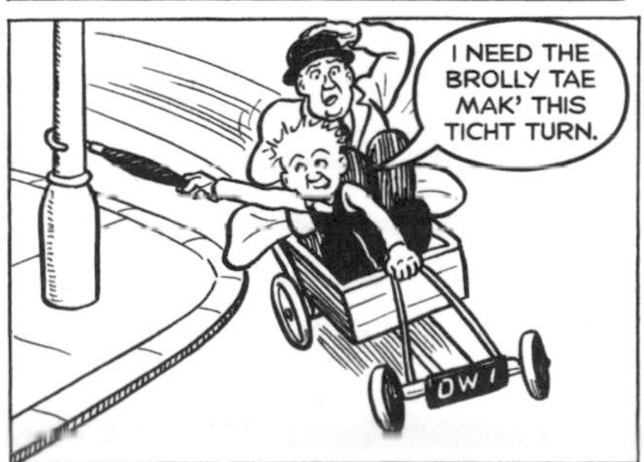
I NEED THE BROLLY TAE MAK' THIS TICHT TURN.

SOON...
HERE'S A FIVER, WULLIE. I'M EARLY FOR MY TRAIN AND I HAVEN'T HAD SO MUCH FUN IN YEARS.
JINGS! I'M RICH!

RICH ENOUGH TAE RETIRE. THIS IS THE REAL BUSINESS.

WULLIE WANTS TAE MAK' A FEW BOB, BUT HE'S FINDING IT HARD TAE KEEP A JOB.

PA'S AYE GOT MONEY BECAUSE HE HAS A JOB.

IF YE WANT A GO AT WORKING LIFE, WE'LL GET SOME PALS IN TOWN TO SHOW YOU WHAT IT'S LIKE, SON.

HAVE YOU EVER USED A CAR WASH, WULLIE?
I'VE WASHED PLENTY O' CARS A'FORE.

JINGS! BUT I'VE NEVER USED SPONGES THAT BIG.

SPLASH!
OCH! I ALREADY HAD A BATH THIS MONTH.

MAYBE THAT WISNAE THE JOB FOR YOU, WULLIE. I'VE ANOTHER IDEA.
I'LL GIE IT A GO, PA. I'M NO' FEART O' HARD WORK.

THIS IS A BUSY OFFICE, WULLIE. YOU NEED TO SIT AT YOUR DESK STRAIGHT AWAY.
SITTIN' AT A DESK SOUNDS AWFY LIKE SCHOOL.

NOW, YOU CAN SIT AND PUT ALL OF THESE PAPERS INTO ENVELOPES FOR ME. DON'T FORGET THE STAMPS.
THIS DISNAE SOUND LIKE MUCH FUN.

THIS IS MAIR LIKE IT! TALK ABOUT AIRMAIL!

MAYBE THIS ISNAE THE JOB FOR YOU EITHER, SON.

IT'S NAE USE, THERE ARE NAE JOBS FOR LADDIES LIKE ME.

DINNAE WORRY QUITE YET, SON. THERE'S ONE JOB LEFT, AND I BET YOU'LL LIKE IT.

YOU'VE BETRAYED ME, PA. YOU'VE DRAGGED ME BACK TO SCHOOL!
NO, MA FOUND OOT THAT THE SCHOOL'S GOT A NEW CHEF AND HER DISHES NEED TAE BE TRIED OOT.

I'M THE VERY MAN FOR THAT!

THAT WAS A BRAW JOB, SO I THINK I'LL BIDE AT SCHOOL A WHILE YET.

PC MURDOCH LOOKS LIKE A FOOL WHEN HE'S SENT BACK TAE SCHOOL.

ACH, I SUPPOSE I'D BETTER GO TAE SCHOOL. SEEMS DAFT WE HAVE TAE GO EVERY DAY...

WHAT'S THAT? SCHOOL'S CLOSED FOR THE DAY?
SCHOOL CLOSED
AYE, LADDIE. THE TEACHERS ARE AWFY UNWEEL.

I'M A LUCKY BOY THE DAY, SURE ENOUGH.

CELEBRATIN' BECAUSE YOUR TEACHERS ARENAE WEEL? THAT'S NO' AWFY NICE, WULLIE.
I SUPPOSE IT'S NO'.

THERE'S NO DAY AFF FOR YOU. YOU CAN BE MY APPRENTICE TODAY.
OCH, NO.

YE NEED TAE STICK IN AT SCHOOL TAE BE A POLIS OFFICER, WULLIE.

SOON...
SOME LADDIES TRIED TAE PINCH A' MY APPLES.
I'LL JIST TAKE YOUR STATEMENT, MR MISERY... I MEAN, MR MINTER.
IT WISNAE ME. I'VE GOT SIX FEET O' BLUE ALIBI HERE.

IS THIS A' YOU DAE? CAN WE NO' HAE A HIGH-SPEED CAR CHASE?
YOU'LL NEED TO TALK MY SERGEANT INTO GETTIN' ME A CAR FIRST.

OH, JINGS! SPEAKIN' O', I WAS MEANT TAE MEET THE SERGEANT HALF AN HOUR AGO. I'M LATE!

I NEED TAE TAK' A SHORT CUT.
I WOULDNAE TAK' THAT ANE...

MICHTY!
MEN AT WORK

WHIT'S A' THIS?
BOTHER FOR ME, THAT'S WHAT.

YOUR MATHS IS SO BAD YOU WERE LATE TO MEET ME, YOUR GEOGRAPHY DROPPED YOU DOON A BIG HOLE, AND YOUR HANDWRITING'S SO BAD I CANNAE READ IT.
SOUNDS LIKE ME AT THE SCHOOL.

NEXT MORNING...
MURDOCH'S BEEN SENT TO SCHOOL FOR A DAY TAE BRUSH UP ON A'THING.
WHIT A BEAMER.

MURDOCH'S NO' A BAD LAD. HE WAS GOOD AT FITBA AT PLAYTIME.

WULLIE MUST HAE SOMETHIN' PLANNED
IF HE WANTS TAE JOIN THE SCHOOL BAND.

HE'S BACK TAE SCHOOL...

I WANT VOLUNTEERS FOR THE SCHOOL ORCHESTRA.

ME, SIR! ME! PICK ME!
OKAY, WILLIAM. WE'LL GIVE YOU A TRY.
EH?

SO...
JINGS! EVEN DESPERATE DAN COULDNAE GET THIS FIDDLE UNDER HIS CHIN.
NOT THAT WAY.

THE DOUBLE BASS IS PLAYED STANDING.
WHIT?

IT WOULD TAK' TWA TAE PLAY THAT MUCKLE BRUTE!

THIS IS MORE YOUR SIZE, WILLIAM.
NO' FOR ME, THANKS.

DRUMS? ALL BOYS LIKE BANGING DRUMS.
NO' THIS BOY!

THAT'S THE ANE FOR ME, SIR.
I DOUBT IF YOU'LL GET A NOTE OUT OF IT...

...BUT GIVE IT A TRY.
BRAW!

SILENCE!
HUFF! PUFF!

SILENCE
PANT! BLAW!

MUCH LATER...
YOU'LL NEVER LEARN TO PLAY THIS, WILLIAM.
PLAY IT?

I ONLY WANTED TAE LEARN TAE BLAW IT!
PARP!

SOON...
THAT WAS BRAW TRAININ'!

MY PUMP WAS BROKEN. AM I A GEENYASS OR WHIT?

OOR WULLIE'S GOT NAE LUCK –
HIS ESCAPE PLAN ENDS IN MUCK.

BATH TIME, WULLIE!
NO' IF I CAN HELP IT!

I THINK I KEN A WAY OOT O' THIS.

WALKIES, HARRY!
BRAW!

HMM, THEY'RE NO' GETTIN' AWA THAT EASILY.

NO BATH FOR ME NOW, HARRY.

JINGS! MA'S ONTAE ME.

C'MON, HARRY. FASTER!

WHEEZE! MAYBE WE CAN TAKE A BREATHER SOON. PUFF!
THIS IS FUN!

STOP, HARRY... GLUB!
SPLASH!

DID YE NO' SEE THE DUCK POND, YE DAFT MUTT?

WELL, I KNOW WHERE YOU TWA ARE GOIN'...

...BACK HAME FOR A GUID LONG BATH!

SORRY, HARRY. CAN YOU FORGIVE ME, PAL?
I ALREADY HAD A BATH THIS MONTH!

HE'S DRYIN' OFF...

OOR WULLIE MICHT NO' BE A GOLFIN' PRO,
BUT HE KENS HOW TAE MAK' SOME DOUGH.

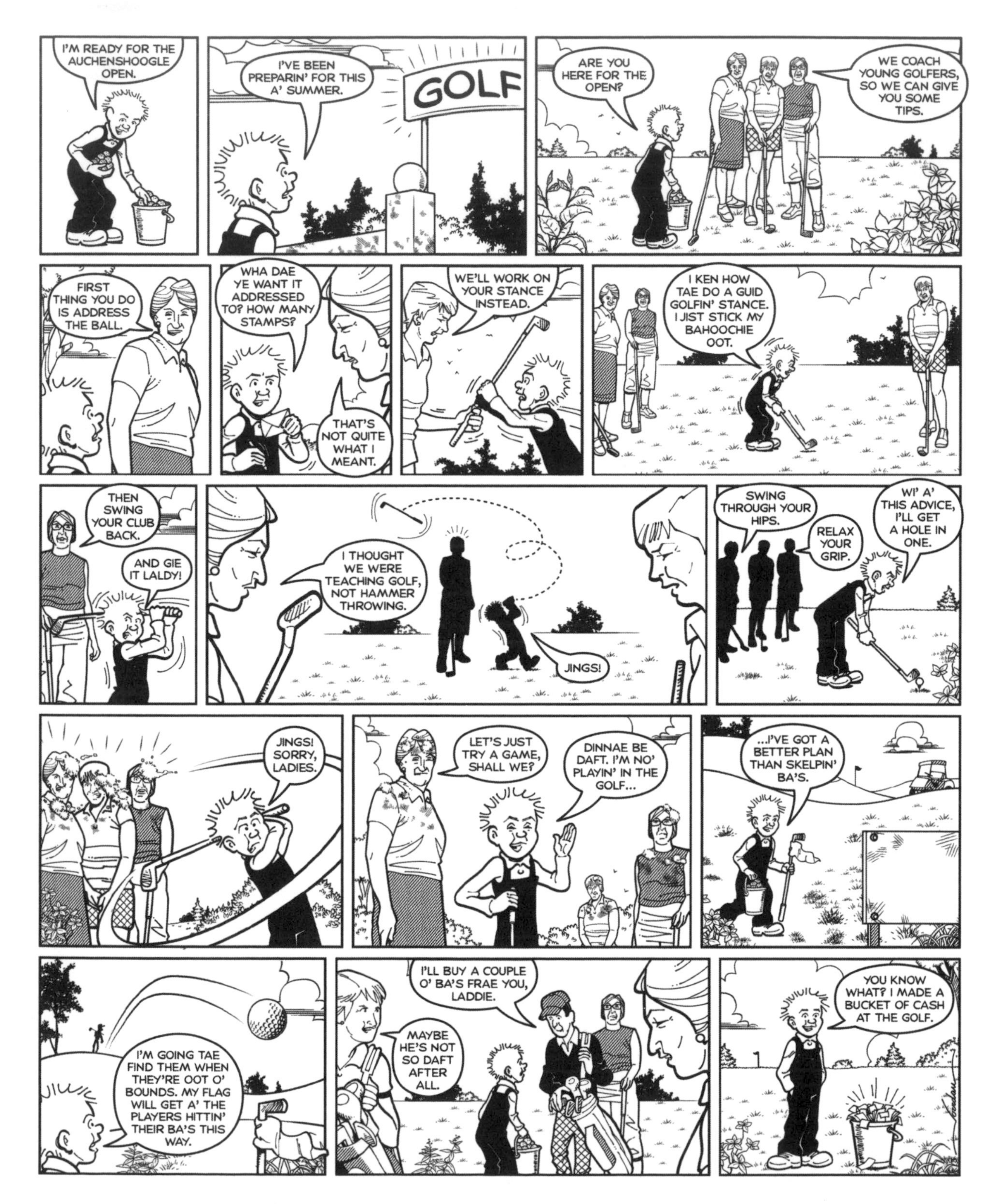

I'M READY FOR THE AUCHENSHOOGLE OPEN.
I'VE BEEN PREPARIN' FOR THIS A' SUMMER.
GOLF
ARE YOU HERE FOR THE OPEN?
WE COACH YOUNG GOLFERS, SO WE CAN GIVE YOU SOME TIPS.
FIRST THING YOU DO IS ADDRESS THE BALL.
WHA DAE YE WANT IT ADDRESSED TO? HOW MANY STAMPS?
THAT'S NOT QUITE WHAT I MEANT.
WE'LL WORK ON YOUR STANCE INSTEAD.
I KEN HOW TAE DO A GUID GOLFIN' STANCE. I JIST STICK MY BAHOOCHIE OOT.
THEN SWING YOUR CLUB BACK.
AND GIE IT LALDY!
I THOUGHT WE WERE TEACHING GOLF, NOT HAMMER THROWING.
JINGS!
SWING THROUGH YOUR HIPS.
RELAX YOUR GRIP.
WI' A' THIS ADVICE, I'LL GET A HOLE IN ONE.
JINGS! SORRY, LADIES.
LET'S JUST TRY A GAME, SHALL WE?
DINNAE BE DAFT. I'M NO' PLAYIN' IN THE GOLF...
...I'VE GOT A BETTER PLAN THAN SKELPIN' BA'S.
I'M GOING TAE FIND THEM WHEN THEY'RE OOT O' BOUNDS. MY FLAG WILL GET A' THE PLAYERS HITTIN' THEIR BA'S THIS WAY.
I'LL BUY A COUPLE O' BA'S FRAE YOU, LADDIE.
MAYBE HE'S NOT SO DAFT AFTER ALL.
YOU KNOW WHAT? I MADE A BUCKET OF CASH AT THE GOLF.

EVEN WI' A GUID WHACK,
THIS NUT'S A HARD ANE TAE CRACK.

HE'S AWA TAE THE CARNIVAL...

DINNAE BE SHY, GIE IT A TRY!
A'RICHT, I'LL HAE A BASH. I LIKE A BIT O' COCONUT.

ACH, MISSED.
AYE, BY A MILE. YE'LL HAE TAE DAE BETTER THAN THAT, SON.

HOI! MY HEID'S NO' A COCONUT!

LAST BA' AN'... YES! THIRD TIME LUCKY!

I CANNAE HAE GLUED THAT NUT INTAE PLACE STRONGLY ENOUGH.
NOO I'VE JIST TAE BREAK IT OPEN.

THE NEW TACKETS IN MY BOOTS SHOULD DAE THE JOB.

HELP MY BOAB! I NEED A COCONUT WI' STRONGER BREAKS ON IT.

OOYAH! THAT WAS SAIR. THIS ISNAE GONNAE BE SO EASY.

AND...
HERE, THIS CLOSE HAS PIT A BRAW PLAN INTAE MY HEID.
10

ROLLIN' IT DOON A' THESE FLIGHTS O' STAIRS LIKE AN EASTER EGG WILL SMASH IT.

MICHTY ME! WHIT'S A' THAT YELLIN' ABOOT?
HOWL!!

IT'S YOU, WULLIE! WHIT ARE YE PLAYIN' AT, LETTIN' COCONUTS RUN LOOSE ABOOT OOR CLOSE?
AWFY SORRY, MISTER BROON.

SOON...
SORRY TAE BOTHER YE ON YER TEA BREAK, ALLY, BUT COULD I HAE A SHOT O' YER HAMMER?
A SLEDGEHAMMER TAE CRACK A COCONUT, EH? HERE YE GO.

JIST ANE GUID SWING AND... JINGS! THIS IS HEAVY, IS IT NO'!

OUCH! TOO HEAVY!
YE'RE SUPPOSED TAE SWING THE HAMMER, NO' YERSEL'.

I'VE JIST GOT ONE THING TAE SAY TAE YOU... NUTS!

WULLIE CANNAE AFFORD TAE TARRY,
NO' WI' WHAT HE HAS GOT TAE CARRY.

COULD YE TAKE THIS BACK TAE SCHOOL? I'VE BEEN RESTORIN' IT FOR YOUR TEACHER.
AYE, OKAY.

THIS ISNAE VERY EASY.

NOO I'M JUST LIKE ATLAS...
...THAT LAD FRAE MYTHOG... MIFFOL... AULD STORIES.

YES. I'M JUST BACK FROM MY WORLD CRUISE. DON'T YOU KNOW.

YOU, BOY. COME HERE.
A'RICHT, MISSUS.

WE STOPPED OFF HERE, THEN HERE...
ACH, DINNA MIND ME.

IT'S OKAY FOR HER BUT I'VE GOT THE WEIGHT O' THE WORLD ON MY SHOULDERS.

I'VE HAD ENOUGH O' THIS. I'LL GET THE BUS.

SHORTLY...
AT LAST.

HMMM. IT'S A TIGHT FIT.

WE'VE GOT ROOM FOR YOU, WULLIE, BUT NO' THE WHOLE WORLD.
ACH. A'BODY'S A COMEDIAN.

THERE'S GOT TAE BE AN EASIER WAY THAN THIS...

...AND THIS IS IT.

OH, NO! IT'S THE END O' THE WORLD.

BUT, ON THE SCHOOL PLAYING FIELDS...
JINGS! I'VE SAVED THE WORLD!

THANK YOU FOR RETURNING THE GLOBE, ROBERT. WILLIAM, YOU ARE LATE.

IT'S AN UNFAIR WORLD.

WAIT TILL YE HEAR WULLIE JANGLE,
PLAYIN' A TUNE ON THE TRIANGLE.

ARE YE GOIN' IN FOR THE SCHOOL BAND AUDITIONS THE DAY, WULLIE?
AYE, AN' I'LL BE DAZZLIN' THE MUSIC TEACHER WI' MY TALENT!

SO...
YOU'RE NEXT, WILLIAM.
HERE'S MY CHANCE TAE SHINE.

A COMB AND PAPER, EH, WILLIAM? HOW VERY ORIGINAL.
TOOT-TA-ROOT!

I'VE GOT JUST THE JOB FOR YOU IN THE BAND, WILLIAM.
I KNEW IT! A'FORE LONG, I'LL BE A POP SENSATION.

DOUBLE BASS? I HOPE NO', IT'S ABOOT TWICE MY SIZE.
NO, NOT THAT.

I WOULDNAE FANCY THE BRASS SECTION, EITHER. I'D BE MORE AT HAME IN THE BRASS NECK SECTION.

FIDDLIN', AYE, THAT WOULD BE BRAW. PA AYE SAYS I'M ON THE FIDDLE, ONYWAY.

HERE, WHAUR'S SHE TAKIN' ME? WE'RE STARTIN' TAE RUN OOT O' INSTRUMENTS.

I THINK WE'LL TRY YOU OUT ON THE TRIANGLE.
THE TRIANGLE? I THOCHT THIS WAS A MUSIC CLASS, NO' TECHNICAL DRAWIN'.

BACK HOME...
HUH! I'D RATHER BE OUTSIDE PLAYIN' FITBA, BUT MA SAYS I'VE TAE BIDE IN AN' PRACTISE.

THE DAY OF THE SCHOOL CONCERT...
I'VE GOT TAE CONCENTRATE, KEEP COUNTIN', NO' MISS MY BIG MOMENT.

KEEP CONCENTRATIN'... ONE, TWO, THREE, FOUR...

EIGHT BARS TAE GO... SEVEN... SIX...

TWO BARS TAE GO... AN' I'VE LEFT MY BEATER IN THE HOOSE. MICHTY!

WHAT ON EARTH...
LUCKY THIS VASE O' DAFFODILS WAS HERE!

HUH! I THINK SHE'D RATHER I WAS IN THE BERMUDA TRIANGLE RICHT NOO.

NEVER MIND, AT LEAST I CAN GO BACK TAE PLAYIN' FITBA WI' THE LADS!

POOR PA IS THUNDERSTRUCK,
RUNNING OOT O' FITBA LUCK.

IF I'M GOING TAE BE SCOTLAND'S CAPTAIN, I NEED SOME PRACTICE.

KENNY DALGLISH, JAMES MCFADDEN AND JIM BAXTER A' WORKED HARD TAE PLAY FOR SCOTLAND.

THERE'S A NIPPY ONE-TWO WI' THE MIDFIELD GENERAL...
BOOT!

JINGS! I DIDNAE MEAN TAE SHAK' A' THE LEAVES AFF THE TREE!

I WAS RAKING UP THOSE LEAVES. I'LL HAE TAE START AGAIN.
SORRY, MISTER.

I'D BETTER FIND SOMEWHERE ELSE TAE PRACTISE BEIN' A LEGEND.

I'LL PLAY AGAINST THE WA' INSTEAD.

THUMP!
MICHTY! WHIT WAS THAT?

YE CANNAE JIST KNOCK A POLIS OFFICER'S HELMET AFF AN' RUN AWA'!

LATER...
CAUSIN' TROUBLE PLAYIN' FITBA AGAIN, WULLIE?
IT WAS JIST BAD LUCK.

THERE'S NAE SUCH THING AS BAD LUCK.
I'M CONFISCATING THE BA', SON.
JINGS!

LATER STILL...
I MIGHT HAE KNOWN THEY'D HAE A KICKABOOT.
PASS TAE ME, JOE!

CRIVVENS! I'VE PRANGED MA.
YOU'VE MADE ME SPILL THE MESSAGES.

IT WIS JIST BAD LUCK, MA.
YOU ALWAYS SAY THERE'S NAE SUCH THING AS BAD LUCK.

PA WAS OOT O' LUCK AN' A'.

WULLIE'S PALS SHOW THEIR LOYALTY WHEN HE CLAIMS TAE BE ROYALTY.

WHEN I WAS IN THE ARMY, I MET A' THE HEIDS OF STATE. THE QUEEN O' ENGLAND, THE PRESIDENT O' FRANCE, THE GRAND AULD DUKE O' YORK...
THAT'S AMAZIN', DID YE EVER MEET THE KING O' SCOTLAND?

HA-HA! DINNAE BE DAFT, WULLIE. THERE'S NO' A KING O' SCOTLAND.
OH, I WONDER HOW NO'!

THE KING O' SCOTLAND SOUNDS LIKE A JOB FOR A CLEVER LADDIE LIKE ME.

FIRST, I NEED SOME CEREMONIAL ROBES.

AN' EVERY KING NEEDS A CROWN.

NOO THAT I LOOK THE PART, I'D BETTER GET ON WI' RULIN' THE PLACE.

FANCY DRESS PARTY THE DAY, WULLIE?
NO. YE'RE LOOKIN' AT WULLIE, KING O' SCOTLAND.

AS YE CAN SEE, I'VE GOT A CASTLE AN' A THRONE. BUT I COULD DAE WI' KNIGHTS.

ARISE, SIR BOAB O' FATNESS, SIR SOUTAR O' CARBOLIC...

...AND ARISE SIR ECK O' TITCHINESS.
I'M ALREADY ARISEN!

I'LL GO WALKABOOT AN' THEN WE'LL GO FOR A ROYAL BANQUET...

...AT TONI'S CHIPPER, NOO BY ROYAL APPOINTMENT.

HUH! ROYALTY'S NO' MEANT TAE CART MONEY ABOOT WI' THEM.
WEEL, IT'LL HAE TAE COME OOT O' THE ROYAL COFFERS. WE'RE A' SKINT.

KING RIB SUPPER, IS IT, YOUR MAJESTY?
JIST THE USUAL FISH SUPPER, PLEASE, TONI. I DINNAE WANT TAE LOSE TOUCH WI' MY SUBJECTS.

AS KING, YE'LL NEED ROYAL FOOD TASTERS.
AYE, YE CANNAE BE TOO CAREFUL.

HERE! YE'VE HARDLY LEFT ME ONYTHING!
PITY, IT WAS A MEAL FIT FOR A KING!

I'VE ABDICATED.

Soapy Souter is a Bubble heid, An Fat Boab disnae Need a feed!

OOR WULIE'S CAUSIN' STRESS NOO HE'S A MEMBER O' THE PRESS.

IT MUST BE A BRAW LIFE BEIN' A REPORTER.

THERE'S AYE INTERESTIN' STUFF GOIN' ON ROOND HERE AN' 'SCOOP' WULLIE WILL BE FIRST ON THE SCENE.
PRESS

JINGS! MURDOCH'S IN AN AWFY HURRY. MUST BE A BIG EMERGENCY.

WHIT'S THE STORY, MURDOCH? BULLION ROBBERY? COMPUTER FRAUD? SOMEBODY RIDIN' THEIR BIKE WI'OOT LICHTS?
OOT O' MY WAY! IT'S URGENT!

BAH! YOU AN' YOUR QUESTIONS! WHAUR AM I GOIN' TAE GET MY DENNER NOO?
DINNA ASK ME. I'M A REPORTER, NO' A FOOD CRITIC.
CLOSED

I KEN. I'LL ASK SOMEBODY FAMOUS FOR AN INTERVIEW, LIKE THE PROVOST.

JIST A FEW WORDS FOR THE READERS, YER WORSHIP.
HO-HO! OF COURSE. ONYTHING TAE HELP A SMART LAD GET AHEAD.

HALF AN HOUR LATER...
...AND FURTHERMORE, WHEN I'M RE-ELECTED, I FULLY INTEND...
PROV. CHRISTIE
MICHTY! I SAID 'A FEW WORDS', NO' THE WHOLE DICTIONARY!

OCH, I'LL PUT YE DOON FOR A NAE COMMENT.
WHAT? WHY, I'VE NEVER HEARD SUCH IMPUDENCE!

SOON...
NOO THERE'S A STORY AND A HALF! BIG HOLD UP AT HIGH STREET BANK!

CAREFUL THERE, TAM. I'VE NO' SCREWED IT IN YET.
MAKIN' FUN O' US, EH? I'VE A GUID MIND TAE...

LATER...
AYE, THIS IS THE PLACE.
GULP! LOOKS LIKE I'M THE ANE TAE GET REPORTED.

I'M REALLY IN THE PRESS NOO...

...THE LOBBY PRESS! AN' I'M STAYIN' IN HERE TILL THEY A' CALM DOON.

HE'S STILL HIDING.

IT'S NO' SOMETHING TAE BE DISMISSIN'
POOR WEE JEEMIE HAS GONE MISSIN'!

YAWN! TIME TAE FEED MY MOOSE BEFORE I GO FOR MY AIN BREAKFAST.

WHIT? JEEMIE'S NO' THERE. HE'S DISAPPEARED! WHAUR'S HE GONE?

WULLIE?
JEEMIE! JEEMIE! WHAUR ARE YE? HERE, BOY!

DINNAE JIST STAND THERE LOOKIN' GLAIKIT. HELP ME LOOK FOR JEEMIE. MAYBE HE'S BEEN MOOSE-NAPPED.
I'M SURE HE'LL NO' BE FAR AWA, WULLIE. YOU JIST KEEP LOOKIN'.

THEY'RE NO' TAKIN' THIS SERIOUSLY AT A'. WHIT I NEED'S THE POLIS.

I'D LIKE TAE REPORT A MISSIN' PERSON, PC MURDOCH. I'LL NEED A.P.B.S., ROADBLOCKS, THE WORKS!
REALLY? IN THAT CASE, I'LL NEED A NAME AND A DESCRIPTION, WULLIE.

WELL, HE'S WEE, WI' MOOSEY BROON HAIR. WHIT ELSE? A LANG NOSE, BUCK TEETH...
INTERESTIN' DESCRIPTION, WULLIE. WHA IS IT? PLUG FRAE THE BEANO?

DINNA BE CHEEKY. IT'S JEEMIE. AN' COULD YE COPY THIS POSTER FOR ME AN' START STICKIN' IT TAE TELEGRAPH POLES?
LOST
50P REWARD

I COULD HAE YE ARRESTED FOR WASTIN' POLIS TIME, YE KEN.
HAVE A HEART, PC MURDOCH. I MIND WHIT YOU WERE LIKE WHEN YER CAT GOT STUCK UP THE LUM.

JINGS! I JIST CANNAE BELIEVE THIS. NAEBODY CARES AT A'. IT'S NAE FUN BEIN' MOOSE-LESS.
ROOT!

JEEMIE! THERE YE ARE, UNDER MY BUCKET! WHIT ARE YE DAEIN', HIDIN' UNDER THERE?
TRYIN' TAE GET SOME SLEEP, YOU SNORE SOMETHIN' AWFY.

THANK GOODNESS YE'RE A'RICHT. YE HAD ME AWFY WORRIED THERE. YE'LL BE NEEDIN' EXTRA CHEESE IF YE'VE BEEN OUTSIDE A' NICHT.
OH, BRAW!

JINGS, IT'S AWFUL WHEN YE THINK A PET'S LOST, IS IT NO'?
WHAUR'S A' THE CHEESE FOR PA'S PIECES?

WULLIE'S POOR TABLE SETTIN' SOON HAS HIM SWEATIN'.

IT'S NEARLY TEA-TIME AND IT'S MINCE AN' TATTIES NICHT.

COME AWA IN, WULLIE. TIME FOR YOUR TEA.
JINGS, HERE I COME!

NOT SO FAST, WULLIE.
WHAT IS IT, MA?

YOU'LL HAVE A RICHT GOOD SCRUB BEFORE TEA.
YOU'RE TAKIN' MY SKIN AFF, WOMAN!
SCRUB!

MRS MURCHISON INVITED HERSELF FOR TEA.
MRS MURCHISON? SHE'S AYE GOT HER NOSE UP IN THE AIR.

I'LL PASS ON TEA FOR THE NICHT.

IT'S MINCE AN' TATTIES, WULLIE...
ACH, THAT'S NO' FIGHTING FAIR, MA.

SIT DOON, MRS MURCHISON. WULLIE'S LAID OOT NAPKINS.
I'M GLAD HE'S DOING SOMETHING USEFUL FOR A CHANGE.

JINGS! I'VE PUT A TEA TOWEL OOT INSTEAD O' A NAPKIN. MAYBE I CAN GET IT AFF HER BEFORE SHE NOTICES.

OOPS. I'VE DRAPPED MY FORK.
CLUMSY LADDIE.

A QUICK YANK AND SHE'LL NEVER NOTICE IT DISAPPEARING.
TUG!

GLUB.
SPLODGE!
MRS MURCHISON!

LOOK WHAT THAT WEE HOOLIGAN DID.
DINNAE YOU BLAME MY WULLIE. YOU'RE THE ONE WHO WENT AT HER TEA LIKE A PIG AT A TROUGH.

GET OOT OF MY HOOSE WI' YOUR TERRIBLE MANNERS.

MA WAS SO PLEASED THE AULD MISERY LEFT, SHE MADE ME DOUGHBOYS AS WEEL. YE CANNAE BEAT MY MA.

WULLIE MAY NO' BE THAT SMART,
BUT HE MAK'S IT UP WI' HIS ART!

THERE'S MA, WASHIN' THE DISHES. SHE NEVER SEEMS TAE STOP DOIN' HOUSEWORK.

IF I WAS AN ARTIST, I'D CHANGE THINGS AROUND A BIT HERE.

BRAW!
THERE WOULD BE A ROBOT TAE DO A' THE DISHES FOR MA.

I'D CHANGE THINGS FOR PA, TOO.
SIGH! AFF TAE WORK AGAIN.

JINGS, THIS LOTTERY WIN'S THE VERY DAB!
THAT'S BETTER.

ON THE WAY TO SCHOOL...
WULLIE! HOI, LADDIE! STOP DAYDREAMIN'.

IT'S TIME TAE SHOW THE WAY THINGS SHOULD BE.

ALL'S QUIET IN AUCHENSHOOGLE!
THANKS, WONDER WULL.

LATER...
OCH, PLAYIN' FOR THE SCHOOL TEAM AN' WE'RE EIGHT-NIL DOON AGAIN. BACK TAE THE DRAWIN' BOARD, I THINK.

MAGNIFICO, SENOR WULLIE.
RON ALDO
THIS IS WHIT I'D LIKE TAE SEE.

NEXT DAY...
OCH, THERE'S A HARD SUMS TEST TODAY.

THREE OUT OF TWENTY-FIVE, WILLIAM. YOU REALLY MUST STOP DOODLING ALL DAY AND CONCENTRATE MORE IN CLASS.

HUH! I'LL SHOW HER. THIS MICHT HAPPEN ONE DAY.

WELL DONE, WILLIAM!
DUX
THANK YOU, MISS.
HMM, MAYBE THIS IS JIST WISHFUL THINKIN', RICHT ENOUGH.

ONE MAIR DRAWIN' BEFORE I HANG UP MY PEN.

THE GROWN-UPS ARE UP TAE SOMETHIN' FUNNY, THEY'RE A' DRESSED LIKE BIG BUNNIES.

EIGHT A.M...
YAWN! TIME FOR SCHOOL AGAIN. ANITHER BORIN', RUN-O'-THE-MILL DAY, I SUPPOSE.
BUT...
BACON AN' EGGS AS USUAL, WULLIE?
ER, AYE, MA... THAT'LL BE FINE.
DID I JIST SEE WHIT I THINK I JIST SAW?
SURELY NO'. WHY WOULD MA AN' PA HAE TURNED INTAE RABBITS?
THEN...
GOOD MORNING, WILLIAM.
ER, MORNING, MEENISTER!
I KNEW I SHOULDNAE HAE EATEN SO MUCH CHEESE LAST NICHT. HE LOOKED LIKE A RABBIT, AN' A'.
LATER...
HELLO, WULLIE. NAE TIME FOR A BLETHER. I'M ON POINTS DUTY TODAY.
ER, OKAY, PC MURDOCH.
THIS CANNAE BE RICHT. I'M SEEIN' RABBITS A' OWER THE PLACE!
HELP! THEY'RE EVEN ON THE BUS!
SPRINTER
I'M GLAD I'VE MADE IT TAE SCHOOL. EVERYTHING'S BOUND TAE BE NORMAL IN HERE.
AW, NO. IT'S HAPPENED TAE OOR TEACHER TOO.
I NEED TAE SEE A DOCTOR - FAST!
AT THE SURGERY...
THE DOCTOR WILL SEE YOU NOW.
RICHT... THANKS.
YOU, TOO, DOCTOR DODD? A'BODY'S TURNED INTAE RABBITS THE DAY.
TRUE, WULLIE. BUT THERE'S A GUID REASON FOR IT.
IT'S RABBIT DAY. IT ONLY COMES UP EVERY HUNDRED YEARS. A VIKING RAIDING PARTY SCARED A' THE RABBITS ROOND HERE, WARNING OOR LOT THAT THE VIKINGS WERE COMING.
REALLY?
THE RABBITS ARE FLEGGED! TAE YER WEAPONS, A'BODY!
RABBITS SAVED THE VILLAGE? WHIT A BRAW STORY.
BACK IN CLASS...
THE BATTLE OF LARGS TOOK PLACE IN 1263.
I NEVER KNEW HISTORY COULD BE SO INTERESTIN'. I'LL HAVE TAE START PAYIN' ATTENTION!
LUNCH TIME...
MIND YOU, RABBIT FOOD WILL NEVER TAK' THE PLACE O' MINCE AN' TATTIES.
HUH! SALAD AGAIN.

MA'S TOO FEART AN' YE CANNAE CHIDE HER,
INVADED BY AUCHENSHOOGLE'S BIGGEST SPIDER.

SHRIEK!
HELP MAH BOAB! THAT'S MA.

THERE'S A HUGE SPIDER ON THE WALL - GET RID O' IT, WULLIE.
WHAT A FEARTIE!

I'D BETTER PUT YOU OOTSIDE.

HERE'S A QUID TAE YERSEL' FOR SAVING ME, SON. I HATE SPIDERS.
JINGS! TA, MA.

HMM! HOW MUCH WOULD MA GIVE ME IF I SAVED HER FRAE A REALLY BIG SPIDER?

I'M GUID AT CRAFTS - LOOK AT THIS WEE SPIDER SUIT I'VE MADE FOR...

...JEEMIE! HA-HA!

EEEEEEK! WULLIE!
THAT'S MA!

IT IS A MONSTER SPIDER THIS TIME, WULLIE.
STAND ASIDE, MOTHER - I'VE GOT IT.

IT'S A TARTAN TARANTULA - YE'VE GOT TAE WATCH THEIR FANGS.
WRESTLE!
I'VE SUCH A BRAVE LADDIE.

IT'LL NO' GET OOT O' THIS BOX.
THAT'S YOUR PA'S PIECE BOX - BUT IT DISNAE MATTER.
STUFF!

YOU'RE MY HERO, WULLIE. TAK' THIS FIVER TAE SPEND ON YERSEL'.
OCH, IT WAS NOTHING, MA - BUT IF YE INSIST.

WHAT'S THAT SOUND COMING FROM THE BOX?

FUNNY SPIDER THAT - IT'S EATING THE CHEESE FRAE YER PA'S PIECES.
MUNCH!

WID YE LIKE TAE EXPLAIN, MY WEE HERO - AS YE GIVE ME THAT FIVER BACK.
SNATCH!

IT'S SAFE TAE BUILD MAH WEB HERE - WULLIE'S GROUNDED FOR A WEEK.

WULLIE'S CAPERS ARE AWFY SLY,
IT'S EASY FOR HIM TAE STAY DRY.

RARE BUCKET WEATHER, THIS. IT'S BUCKETIN' DOON!
SOON...
HERE, YOU! WHIT DAE YE THINK YE'RE PLAYIN' AT, GOIN' OOT WI' NAE COAT?
I'LL NO' NEED ANE, MA. I'LL BE DRY AS A BONE WHEN I GET TAE SCHOOL.
ARE YE GOIN' MY WAY, PA?
AYE, FOR A BIT.
I STILL RECKON YE'D BE BETTER WI' YER OWN COAT.
IT'D BE A WASTE. ONYWAY, IT'S COSY IN HERE.
YE'RE ON YER OWN, NOO, LAD. MY WORK'S THIS WAY.
DINNAE WORRY, PA. I'VE GOT MY ROUTE A' WORKED OOT. I'LL BE BRAW AN' DRY WHEN I REACH SCHOOL.
THEN...
MICHTY! WHIT A WEIGHT THIS PRAM'S GETTING'. I'VE EITHER GOT OWER MUCH SHOPPIN' OR I'M OWER FEEDIN' THIS BAIRN.
THE SOONER YE LEARN TAE WALK, SEAN, THE BETTER. YE'LL NEED THE EXERCISE ONYWAY, IF YE KEEP PILIN' ON WEIGHT LIKE THIS.
OCH, IT'S YOU, WULLIE! YE NEARLY PUT MY BACK OOT WI' YER CAPERS!
SORRY, MRS STAFFORD, BUT I KNEW YE'D BE ON YER DAILY SHOP. THANKS FOR THE HURL.
HALFWAY TAE SCHOOL AN' STILL DRY. AN' I SPOT MY NEXT SHELTERED SHORTCUT.
THERE'S AYE AULD BOXES OUTSIDE THE CLUBBIE, AN' IT JIST NEEDS A WEE HOLE TAE SEE OOT O'.
STOP
PITY CARDBOARD ISNAE THE MAIST RAINPROOF THING IN THE WORLD. MAYBE I'LL NO' MAK' IT EFTER A'.

THE BOTTOM'S FALLEN OOT O' THIS WHEELIE BIN.
IT'S NO' A DISASTER FOR ME!

IT'S A BIT SMELLY, MIND YOU, AN' I CANNAE MAK' A WEE HOLE TAE SEE WHAUR I'M HEADIN'.
HE DOESNAE KEN WHAUR HE'S GOIN', BUT HE KENS WHAUR HE'S 'BIN'!

AAARGH! WHA PUT THAT HOLE THERE?
WE JIST DID. NICE O' YE TAE DRAP IN, WULLIE.

LISTEN, LADS, I NEED A FAVOUR AN' IT'S NO' AS IF YE'RE OWER BUSY JIST NOO.
YE NOTICED, DID YE?

GRAND! JIST PERFECT! LEFT A WEE BIT, MIND THE BIG DUB... NEARLY THERE.

TIMED TAE A TEE! THE RAIN'S GONE AFF RICHT ON CUE!

GAAH! WOULD YE BELIEVE IT! I'M DROOKIT!

IT'S A DUG'S LIFE TRYIN' TAE STAY HIGH AN' DRY!

WULLIE COULD STAY IN BED A' DAY – IT'S A BRAW PLACE TAE PLAY!

HE'S STILL IN BED...

I LOVE HAEIN' A LIE IN.

AN' MY COVERS CAN MAK' A BRAW TENT.

GASP! JINGS – HERE COMES WILD BILL THE COWBOY FOR A SHOWDOON.

I'VE GOT TAE GET AWA. GEE-UP, CUDDY!

BANG! OOYAH! HE G-GOT ME!

I'M A GONER! LAST GASP!

WHIT A BOUNCE! THIS WOULD MAK' A BRAW...

...TRAMPOLINE!

NO BAD, EH?

BRAW FUN THAT. WHIT WILL I DAE NOO?
PECH!

I KEN. HAE A PILLOW FECHT!

TAK' THAT AN' THIS, BADDY!

CRIVVENS! I'VE KNOCKED THE STUFFIN' OOT O' THE BADDY.
PLUMPH!

NOO WHIT WILL I DAE?
I KEN...

...YE'LL GET UP. YE'RE THE LAZIEST LADDIE I'VE EVER MET!
EH?

WOULD YE CREDIT IT?

OOR WULLIE'S OOT O' LUCK —
IT LOOKS LIKE HE MIGHT BE STUCK.

I'M BIDIN' HERE A' DAY.

WE'RE GOIN' AWA UP STOORIE BRAE. ARE YOU COMIN', WULLIE?
THAT SOUNDS RARE.

BUT, NAW. I'M STAYIN' HERE THE DAY. I'VE SOME THINKIN' TAE DO.

IF YOUR MA'S GROUNDED YOU, WE CAN HAE A KICKABOOT IN YOUR GARDEN.
I'M NO' GROUNDED.

I DO LOVE THE FITBA, RICHT ENOUGH.

AN' I'M THE BOY WHEN IT COMES TAE PLAYIN' THE GAME.

BUT I CANNAE. I'VE TAE BIDE HERE AN' THINK.
BOOT!

YOU'VE HAD YOUR CHANCE, WULLIE. WE'RE AWA.
AYE. HAE A GUID TIME, LADS.

I'M GOIN' FISHIN', WULLIE. ARE YOU COMIN' WI' ME?
BOY OH BOY, I LOVE FISHIN'...

...BUT I'M RICHT SORRY, PA. I CANNAE. I'M BIDIN' HERE TAE THINK.
SUIT YERSEL', SON.

I'M MISSIN' A' THE FUN, BUT A MAN'S GOT TAE DO WHAT A MAN'S GOT TAE DO.

AYE, AND RICHT NOO YOU'VE GOT TAE NIP TAE THE SHOPS FOR ME.
WHIT? OCH, NO.

ER, I'VE GOT AN AWFY SORE FOOT, MA. AN' I FORGOT THE WAY TAE THE SHOPS.

I'LL DRAW YOU A MAP. NOW ON YOUR FEET, YE WEE CHANCER.
THERE'S NAE GETTIN' OOT O' IT NOO.

SO THAT'S WHY YOU HAVEN'T MOVED FRAE YER BUCKET A' DAY!
I SAT DOON WI' GLUE IN MY BACK POOCH!

WULLIE'S AWA TAE BED... BUT HIS DUNGAREES AREN'T!

HOW HARD CAN IT BE
TAE GET CONKERS OOT A TREE?

HE'S AWA SEARCHIN' FOR CONKERS...

AH! THERE'S A BRAW HORSE CHESTNUT TREE OWER THERE.

ACH! THE CONKERS ARE TOO HIGH!

I KEN WHIT TAE DAE.

I'LL KNOCK THEM DOON!

THE DAFT TREE'S KEPT MY STICK TOO.

JINGS! TOO RISKY. I'LL HAE TAE BE A BIT MAIR SCIENTIFIC.
THUD!

SO...
MY BUCKET AN' MA'S WASHIN' LINE. NOO A' I NEED IS...

...WEE ECK.
AYE, BUT WHIT DAE YE NEED ME FOR?

YOU'LL SEE. IN YE GET!
EH?

PICK THE CONKERS AN' PUT THEM IN THE BUCKET.
BRILLIANT. WE'LL GET LOADS!

I'M DAEIN' BRAW. MY POOCHES ARE FULL, AN' SO'S THE BUCKET.

AYE! TOO FULL. YE'RE OWER HEAVY NOO!
HELP!

OOYAH!
BUMP!

WHIT DID YE GET OOT O' THE BUCKET FOR, YE DAFT SCUNNER?
OUCH!

DAFT SCUNNER? DAFT BUCKET, MAIR LIKE. AN' THAT'S WHIT I THINK O' IT.
OCH, NO!

HE'S AWA SEARCHIN' FOR HIS BUCKET...

OOR WULLIE CANNAE BE SWAYED,
THE BEST COSTUMES ARE HAME-MADE.

IT'S HALLOWEEN. I'LL NEED TAE GET MY COSTUME.

C'MON, WULLIE. THE SUPERMARKET HAS GREAT SKELETON COSTUMES. HURRY OR THEY'LL BE SOLD OOT!

WELL, ARE YE BUYING ONE THEN?
I DINNAE KEN... WE'D A' LOOK THE SAME.

I'M GOING TAE MAK MY AIN COSTUME LIKE WE ALL USED TAE DO.
HUH! IT'LL LOOK RUBBISH.

I'LL CUT DOON PA'S AULD BLACK BREEKS.

AND GO GUISING AS PC MURDOCH.

THAT NICHT...
DAE YE WANT ONY GUISERS, MISTER DOIG?
AYE, COME AWA IN, LADS.

WHAT'S OOR FAVOURITE ORDER FRAE THE RESTAURANT?
I DINNAE KEN.
SPARE RIBS!

I'LL HAE TAE TAK DOON YER PARTICULARS FOR THAT AWFY JOKE.

HE'S TAKEN HIS TROOSERS DOON INSTEAD. HA-HA!
OCH! IT'S A HAME-MADE COSTUME.

HERE'S SOME SWEETIES FOR GIVING US SUCH A BRAW LAUGH.

SO, YE LIKE HOME-MADE STUFF, WULLIE?
AYE, THAT'S REAL AULD FASHIONED GUISING.

COME AWA THROUGH, LAD.

I PREFER HOME-MADE TOO. THIS IS A' HOME BAKING. YOU CAN HAVE SOME INSTEAD O' SHOP BOUGHT SWEETS.
THAT'S AWFY BRAW, MRS DOIG!

YUM! HAME-MADE WINS EVERY TIME.

WULLIE'S HAEIN' SOME REGRETS,
LOOKIN' EFTER A'BODY'S PETS.

HARRY DISNAE LIKE BONFIRE NICHT AN' A' THE FIREWORKS.

YE HAVE TAE LOOK EFTER YER PETS WHEN THERE ARE FIREWORKS.

ARE YOU READY FOR THE FIREWORKS, WULLIE?
AYE, I CANNAE WAIT.

OR MAYBE I'M NO'. I CANNAE LEAVE HARRY ON HIS OWN.

IT'S JUST YOU AN' ME THE NICHT, HARRY.

AND YOU AS WEEL, JEEMIE. YOU DINNAE LIKE FIREWORKS EITHER.

ARE YOU LOOKIN' EFTER PETS THE NICHT, WULLIE?
WEEL, I'M LOOKIN' EFTER MY PALS HERE...

IF YOU WIDNAE MIND LOOKIN' EFTER WEE HAMISH HERE.

WOULD YOU LOOK EFTER BOBBY MA BUDGIE? AN' WEE DOD, MA HAMSTER... YOU'RE A GOOD LADDIE.
WHIT AM I GOING TAE DAE WI' A' THESE ANIMALS?

CRIVVENS! A'BODY HAS GIVEN ME THEIR PETS FOR THE NICHT. WE'LL JUST HAE A QUIET NICHT IN.

BUT...
JINGS! CALM DOON.

LATER...
THEY WEREN'T BOTHERED BY THE FIREWORKS?
NAW. THEY HAD SOME FIREWORKS OF THEIR AIN.

YOU GAVE UP SEEING THE FIREWORKS TAE LOOK EFTER THE ANIMALS. THAT WAS A NICE THING YOU DID, WULLIE.
WELL, WE HAVE TAE LOOK EFTER OOR ANIMAL PALS.

MINCE AN' TATTIES AN' A TOFFEE APPLE? THAT WAS WORTH MISSIN' THE FIREWORKS FOR.
HE'S A GOOD LAD REALLY.

OOR WULLIE WANTS TAE PLAY - BUT HIS PALS ARE SICK THE DAY.

HE'S AWA TAE PLAY WI' HIS PALS...

IS BOAB COMIN' OOT TAE PLAY?
BARK!
HAVE YE GOT A DUG?

NO, THAT'S BOB. HE'S GOT A TERRIBLE COUGH. HE'S STAYING IN BED TODAY.

POOR BOAB IS AWFY NO' WEEL. I'LL SEE IF SOAPY'S ABOOT.

HE'S GOT SOMETHIN' SPOTTY AND HORRIBLE. YOU WOULDN'T WANT TAE CATCH IT.
CRIVVENS! I WOULDNAE WANT TAE PLAY JOIN THE DOTS, RICHT ENOUGH.

AACHOO!
THAT'S ECK'S HOOSE, BUT I'LL NO' EVEN BOTHER ASKIN'. WHIT A BIG SNEEZE FOR A WEE LAD.

OCH, THIS IS JIST AWFY. IT'S NAE USE NO' HAVIN' ONY PALS.
WHIT'S THE MATTER, WULLIE?

MY PALS ARE ALL NO' WEEL. I'M WULLIE-NAE-MATES.
I'LL TELL YOU WHAT, IT'S ABOOT TIME FOR MY BREAK.

I'LL HAE A WEE KICKABOOT WI' YE, WULLIE.
YOU WILL? I'VE AYE SAID OOR POLIS ARE MARVELLOUS.

I'VE STILL GOT THE SKILLS.
BUT NO' THE SPEED!
CAN WE JOIN YOU, LADS?

THE YOUNG ANE'S RUNNIN' RINGS AROUND US.
HE RUNS RINGS ROOND MURDOCH EVERY DAY!
PASS IT OWER HERE, MORRIS!

THAT WAS BRAW. THEY'RE NO' BAD FOR AULD LADS.

NEXT MORNING...
I'LL SEE IF FITBA SUPERSTAR MURDOCH FANCIES A GAME.

I'M SORRY, WULLIE. I'M NO' WEEL THE DAY.
MICHTY! IT'S ANE O' THEY EPPYDEMICS.

I'M TAKIN' NAE CHANCES.

OOR WULLIE HAS A BRICHT IDEA
TAE PLAY FITBA ONY TIME O' YEAR.

YOU HAVE TAE BE FLY WHEN IT GETS DARK AT THIS TIME O' YEAR.

MA AYE TRIES TAE GET ME IN EARLY WHEN IT'S THE DARK NICHTS.
COME AWA INSIDE, WULLIE.

SOON...
ARE YE UP FOR A GAME O' FITBA, LADS?
IS IT NO' GETTIN' A BIT DARK?

IT'S NEVER TOO DARK FOR FITBA!

MAYBE THE NEW SCOTLAND MANAGER WILL SEE US.
NAEBODY CAN SEE US IN THE DARK. I CANNAE EVEN SEE THE GOALPOST.

OOF! I FOUND IT, AND IT'S SAIR.
CRASH!

WE'LL HAVE TAE GIE UP. IT'S TOO DARK.
A CLEVER LADDIE NEVER GIES UP.

THE SHOPS HAE BRICHT LICHTS. WE CAN PLAY THERE.
BRAW IDEA.

JINGS! THERE'S TOO MANY PEOPLE HERE.
IT MUST BE LATE NICHT SHOPPIN'.

I CANNAE BELIEVE CHRISTMAS HAS KILLED FITBA.
SANTA SHOULD PUT HIMSEL' ON THE NAUGHTY LIST.

I'VE GOT AN IDEA.

I'M HANGIN' THE OUTDOOR CHRISTMAS LICHTS.
IS IT NO' A BIT EARLY FOR THAT YET, WULLIE?

HAVE YE GIVEN UP, WULLIE?
WELL, IF YE CANNAE BEAT CHRISTMAS, YE MIGHT AS WEEL JOIN IN.

NO. THAT'S FAIR CHRISTMASSY AND WE'VE GOT OOR AIN FLOODLICHTS!
BRAW!

I'M A BRICHT LAD EFTER A'.

OOR WULLIE'S AWFY MIFFED WHEN HE CANNAE GET A COO TAE SHIFT.

HE'S VISITIN' HIS UNCLE'S FARM...

ONY JOBS FOR ME, UNCLE TAM?
AYE, BRING THE COO HAME.

SO...
AWA YE GO HAME, COO.

NO' GONNAE MOVE, EH? MAYBE A WEE SHOVE WILL START YE.

COME ON, COO - SHIFT!

SLAP!!
OW! HIT ME WHEN YER BACK'S TURNED, WOULD YE?

I'LL TRY DRIVIN' IT BACK TAE THE FARM.

NAE PEDALS - WHAUR'S THE STARTER?

GIDDY-UP! MUSH! GO! DAE SOMETHIN'!

OOYAH! NO' THAT!

LISTEN, COO. IT'S TIME YE LEARNED WHA'S THE BOSS.

WHIT ARE YE DAEIN' WI THAT COO?
IT'LL NO SHIFT AN' I'M AWFY FED UP.

ACH! I'M SURE YER AUNTY BESSIE WILL HAE SOMETHIN' TAE CHEER YE UP.

AN' SHE DOES. SMASHIN'!

I'D RATHER SHIFT GRUB THAN COOS ONY DAY!

MA FINDS IT A RELIEF
WHEN WULLIE TURNS OWER A NEW LEAF.

I'M HUNGRY.

MA'S BEEN MAKING SANDWICHES. I'LL MAK' ANE O' MY SPECIALS.

THE MAIST LEGENDARY OOR WULLIE PIECE IS MADE WI' BREAD AN'...

...TREACLE!
TREACLE

LOOK AT THE STATE O' YE, AND MISS LAMB IS COMING ROOND FOR HIGH TEA.

AWA OOT THE ROAD TILL SHE'S GONE.
I'LL AWA AND PLAY WI' BOAB. HE'S NO' SAE POSH AS YER PAL.

JINGS! HERE SHE IS A'READY. I'LL HAE TAE HIDE.

FLUMP!

SUDDENLY...
I'LL HAE THAT.
GRAB!
UNHAND MY PURSE, YOU BAG SNATCHER!

YOU HEARD THE LADY, UGLY BOY!
A T-TREE MONSTER!

ROAR!
HELP! POLIS! MUMMY, DADDY! ONYBODY!

DINNAE BE FLEGGED, MISS LAMB. IT'S ME, WULLIE.
OH, MY SWEET BOY. YOU SAVED ME.

I THOUCHT I TOLD YE TO DISAPPEAR.
NO, I INSIST WILLIAM HAS TEA WITH US.

HAUD YOUR BREAD AND I'LL POOR THE TREACLE.
I THOUGHT YOU SAID YOUR SON WAS A NAUGHTY FELLOW. I FIND HIM CHARMING.
AYE, RIGHT.

MA DISNAE BELIEVE I'VE TURNED OWER A NEW LEAF. HA-HA!

WHIT'S THAT AWFY NOISE? IT'S OOR WULLIE AND THE BOYS!

I NEED TAE START THINKING ABOOT BUYIN' CHRISTMAS PRESENTS FOR MA AN' PA. I CANNAE LET SANTA DAE A' THE WORK.

LET'S SEE WHIT I'VE SAVED THIS YEAR.

JINGS! I HAVENAE GOT TWA BOB TAE RUB TOGETHER.

SO...
DAE YE NEED ONY WORK DONE IN YER GAIRDEN, MR McLEISH?
SORRY, WULLIE. THE GARDEN'S TIDIED FOR WINTER.

NAEBODY NEEDS ONYTHIN' DONE. HOW CAN I MAK' SOME MONEY?

THEN...
OCH, I'VE NOTHIN' TAE SELL.

WHIT'S A LADDIE TAE DO?

WE'RE SKINT AN' A'. WE WERE HOPIN' YOU'D HAE AN IDEA FOR DRUMMIN' UP TRADE.
I'M SORRY, LADS. I'M POTLESS.

DRUM UP TRADE, YE SAID. I MICHT HAE AN IDEA EFTER A'.
I HOPE IT'S A GUID ANE.

WE'LL MAK' A FORTUNE, LADS. WE'VE GOT THE WEE ECKS FACTOR!
WHAUR WILL WE PLAY?

READY, LADS... ONE, TWO, THREE, FOWER... GIE IT LALDY!

PARP!
SKIRL!
BANG!

YOU LADS ARE AWFUL. YOU'RE DRIVING MY CUSTOMERS AWAY.
A'BODY'S A CRITIC THESE DAYS.

BUT IF YOU PAY US, WE'LL PLAY SOMEWHAUR ELSE.
YOU'RE ON.

WE MADE A FORTUNE BY NO' PLAYIN'. MONEY FOR DAEIN' NOTHIN'.

YE'D NEVER GUESS THAT PRIMROSE MIGHT HELP OOR WULLIE WIN A FIGHT!

I'M AWA TAE PLAY IN THE SNAW.

HELP MAH BOAB! AMBUSHED BY THE TAIT BROTHERS!
HA-HA! PELT WULLIE-NAE-MATES.

I'LL GET MY PALS AND BE BACK, YE APES!

BOAB, I NEED YE FOR A SNOWBA' FECHT WI' THE TAITS.
BURP! I CANNAE MOVE, WULLIE. I'VE JIST HAD FOWER HELPINGS O' TRIFLE.

SOAPY, THIS IS AN EMERGENCY! YE HAVE TAE HELP ME IN A SNOWBA' FECHT.
NO CHANCE, WULLIE. SOAPY IS COMING CHRISTMAS SHOPPING WITH ME.

THIS IS THE PROBLEM WI' BEING AN ONLY CHILD - NAE BROTHERS TAE STICK UP FOR YE.

POOR WILLIAM. YOU CAN PLAY WITH ME. I'M MAKING SNOW SCULPTURES.
FOR A LASSIE, YE'RE NO' HALF BAD AT MAKIN' SNA'MEN.

COULD YE MAK' A BIG SNAW SCULPTURE O' ME AT THE TOP O' STOORIE BRAE?
OH, YES, WILLIAM. I COULD BUILD YOU WITH MY EYES CLOSED.

SOON...
ME AND MY BROTHER ARE READY TAE FECHT YE NOO.
THAT'S JIST WULLIE AND A SNA'MAN. A'BODY KENS HE DISNAE HAE A BROTHER.

CHA-A-A-A-RGE!
SHOVE!
WATCH OOT FOR MY BROTHER. HE CAN LOSE THE HEID SOMETIMES.

LIKE NOO.
HELP! MAMMY! DADDY!

TAK' THAT, YE MUGS!
CRUMP!

I'M OWE YE ONE, PRIMROSE. COME ON AND I'LL TREAT YE TAE A CHOCOLATE SNOWBA' AT TONI'S.
OH, THANK YOU, WILLIAM. I DID ANOTHER SNOW SCULPTURE OF YOU

WULLIE TRIES WI' A' HIS MIGHT
TAE KEEP A HAUD O' HIS KITE.

IT'S FAIR WINDY THE DAY.

THIS IS A BRAW DRYIN' WIND, WULLIE. GIE ME A HAND.

IT'S NO' A HAND WE'RE NEEDIN' - IT'S AN ANCHOR.
GUST!

SLAP!
JINGS! I CANNAE SEE A THING.

THIS IS JIST THE DAY FOR A KITE.

KEEP A GOOD GRIP O' THAT, WULLIE.
I'M THE BOY WI' KITES, MA.

MICHTY, WHIT A WIND.

WHIT'S GOIN' ON? I THOUCHT YE WORE LONG JOHNS UNDER YER DUNGAREES.

OH! THE LINE SNAPPED. THAT'S A BLOW.
SNAP!
CRASH!

THAT'S GOOD STRONG TWINE ON YER KITE, WULLIE. I'LL NEED TAE BORROW THAT TILL I GET A NEW WASHING LINE.
I CANNAE FLY MY KITE WI'OOT IT...

...BUT SOMETIMES YE HAVE TAE MAK' SACRIFICES FOR YER MA.
YE'RE A GUID LAD, WULLIE.

NO' SO FAST. I'VE GOT AN IDEA AN' IT'S A BEEZER.

I JIST NEED YER PEG BAG.

SOON...
I'M MULTI-TASKIN'. I CAN FLY MY KITE AND DRY MA'S WASHIN'.

MAKIN' A FEW BOB IS A BREEZE FOR A SMART LAD LIKE ME.

WHA NEEDS STOCKINGS MADE O' WOOL WHEN SANTA CAN LEAVE YER BUCKET FULL?

WULLIE'S AWA TAE THE CHRISTMAS DANCE COMPETITION.
AYE, YE HEARD RICHT. HE'S DANCIN' WI' PRIMROSE.
AUCHENSHOOGLE HALL
OH, WILLIAM, I CAN'T BELIEVE WE WON THE JUNIOR TANGO.
AYE, BUT DINNAE TELL A'BODY.
7
YOU DANCED WITH ME, SO I KNITTED YOU EXTRA LARGE SOCKS. THAT WAS OUR DEAL, WASN'T IT, WILLIAM?
AYE, YE'RE A GUID SPORT FOR A LASSIE.
WOW! SANTA WILL FIT TONS O' PRESENTS INTAE THESE BEAUTIES!
IS IT NO' AWFY CAULD TAE BE STANDING OOT HERE TONIGHT, MR DOIG?
AYE, MY FEET ARE LIKE BLOCKS O' ICE. BUT IT'S A GREAT NICHT TAE COLLECT MONEY FOR THE KIDS' CHARITY.
STAMP!
SEE WHIT I MEAN? FOWK THAT HAVE HAD A WEE DRAM AT THEIR CHRISTMAS PARTIES ARE MAIR GENEROUS.
I'VE NAE CASH, BUT YOU PUT THEY EXTRA SOCKS ON TAE KEEP YER FEET WARM.
RATTLE!
THANKS, WULLIE. MY TOOTSIES ARE LIKE TOAST NOW.
ACH, I WIS JIST BEIN' GREEDY ASKIN' SANTA TAE FILL SUCH MUCKLE SOCKS.
HELLO, SANTA. I WISH TAE REPORT SOMETHIN' TAE YE.

IS THAT A DRINK AND A BIT O' SHORTIE FOR SANTA, WULLIE?
AYE, AND I'M LEAVIN' A NEEP FOR RUDOLF. HE'LL BE FED UP WI' CARROTS BY THE TIME HE GETS TAE ME.

CHRISTMAS MORNING...
WOW! SANTA DIDNAE FILL MY STOCKINGS, HE'S FILLED MY BUCKET.
DRONE
HE'LL HAE HEARD YOU'D BEEN AN ESPECIALLY KIND LADDIE,

SANTA MUST'VE KENT I LIKE MY BUCKET. MERRY CHRISTMAS TAE ANE AND A'!

WHIT A YEAR OOR WULLIE'S HAD,
BUT NOO IT'S OWER, HE'S STILL NAE SAD.

WEEL, THAT'S ANITHER YEAR NEAR OWER.

AN' WHIT A YEAR IT'S BEEN. I'M SURPRISED I EVEN HAD A CHANCE TAE HAE A SIT DOON ON MY BUCKET.

MIND YOU, IN JANUARY, I WAS USIN' IT FOR MAIR THAN SITTIN'.
WULLIE'S GOT A BUCKET LOAD O' STORED UP AMMO!
RUN! HIDE!

IN FEBRUARY, IT WAS ME DAEIN' THE HIDIN', THOUGH.
COO-EE! WILLIAM!
THEY SHOULD OUTLAW VALENTINE'S DAY FOR CRUELTY TAE WEE LADDIES!

THEN WE MARCHED INTAE MARCH FOR EASTER.
BOAB, YE'RE SUPPOSED TAE ROLL YER EGG, NO' YERSELF!
I KEN, BUT I COULDNAE WAIT AN' ATE IT, SO THIS IS THE ONLY WAY I CAN ROLL IT.

APRIL SHOWERS MEANT WE HAD TAE TAK' STEPS TAE BUILD BETTER STEPPIN' STANES OWER THE STOORIE.
AN' JIST HOW IS THIS QUICKER AN' EASIER THAN USIN' THE BRIDGE?

MAY WIS THE END O' THE FITBA SEASON. FOR US AS WEEL AS THE REAL TEAMS.
THAT'S THE LAST WE'LL SEE O' THAT BA', LADS.

JUNE COULDNAE COME SOON ENOUGH.
FANTASTIC! SCHOOL'S OOT! NAE MAIR STUDYIN' FOR A WHOLE SIX WEEKS!

JULY WAS FOR GETTIN' AWA FRAE IT A'. WEEL, NEARLY A'...
I COULDNAE JIST LEAVE MY AULD BUCKET PININ' FOR ME.

AUGUST AYE DID COME TOO SOON!
BAH! SCHOOL'S BACK IN. SIX WEEKS JIST ISNAE NEAR LANG ENOUGH.

AUTUMN'S BRAW, THOUGH, AN' SEPTEMBER'S WHEN WULLIE THE CONKEROR RULES.
IT TAK'S A RICHT HARD NUT TAE BEAT ME!

FOR HALLOWEEN THIS OCTOBER, WE HAD A SCARY STORY CONTEST.
...AN' THE FRIGHTFUL FIGURE POINTED A BONY FINGER AN' CROAKED, "DOUBLE HOMEWORK FOR THE WHOLE CLASS"!
WHIT A FRIGHTFUL TALE!

THEN WE FIRED STRAIGHT INTAE BONFIRE NICHT IN NOVEMBER.
PENNY FOR THE GUY, MISSUS?
A'RICHT, BUT YE SHOULD SWITCH PLACES WI' HIM, LADS. HE'S NEATER THAN YOU TWA.

NOO IT'S DECEMBER, AN' THE AULD YEAR'S NEAR UP. STILL, THE GOOD NEWS IS...

NEXT YEAR, I GET TAE DAE IT A' OWER AGAIN! HAPPY NEW YEAR, A'BODY!

OOR WULLIE HAS A FEAR
THAT HE'LL MISS THE NEW YEAR.

HOGMANAY...

WULLIE! IT'S TIME TAE GET UP. YER BREAKFAST'S ON THE TABLE.

NO WAY AM I GETTIN' UP. I'LL SLEEP A' DAY AN' BE RARIN' FOR THE BELLS TONIGHT. I DINNAE WANT TAE MISS THE START O' THE NEW YEAR.

I EVEN BROUGHT SUPPLIES IN CASE I WAKE UP FEELIN' PECKISH. WHIT A CLEVER LAD I AM.

THEN...
HERE, WHA'S THIS? IT DOESNAE SOUND LIKE MA, UNLESS SHE'S GROWN A COUPLE O' EXTRA LEGS.

ARE YE NO' WEEL, WULLIE?
IT'S NO THAT. I JIST WANT TAE SLEEP A' DAY AN' BE BRICHT AN' BREEZY FOR THE BELLS THE NICHT.

YE'LL NO' BE WANTIN' A KICKABOOT WI' THE FITBA I GOT FRAE SANTA, THEN.
OCH, I SUPPOSE I COULD GIE YE FIVE MEENITS.

I'LL LEAVE MY JAMMIES ON SO THAT I CAN GO STRAIGHT BACK TAE BED WHEN WE'VE FINISHED.

HOURS LATER...
GOAL! THAT'S 130 - 84 TAE WULLIE'S WANDERERS.

JINGS! LOOK AT THE TIME. SORRY, LADS, I'LL HAVE TAE GET BACK TAE BED!

ON THE WAY HOME...
AH, WILLIAM. COULD YOU HELP ME OUT WITH A LITTLE JOB BACK AT THE KIRK?
OKAY, MEENISTER. WHAT IS IT?

HELP!
DING-DONG!
JUST CHECKING IF THE BELLS ARE IN PERFECT WORKING ORDER FOR THIS EVENING!

BACK HOME...
JINGS! AFTER A' THAT FITBA AND BELL-RINGIN', I'M NEEDIN' MY BED. I'LL STILL BE UP IN TIME FOR THE BELLS, THOUGH.

HOLD IT, WULLIE. IF YE WANT TAE BIDE UP LATE, YE'LL HAVE TAE DO A' THE CHORES LIKE YE PROMISED.

THERE'S NAE REST FOR THE WICKED... BUT THE WICKED GET TAE BIDE UP TAE SEE THE NEW YEAR IN.

10.30 P.M.
I'M PUGGLED NOO, BUT I'LL GET AN HOUR'S KIP AN' PA'S GONNA WAKE ME FOR THE BELLS. BRAW!

BUT...
WAKE UP, WULLIE! I'M AWFY SORRY, SON. I FORGOT TAE GIE YE A SHOUT A'FORE THE BELLS.
WHIT? AW, NO!

THE PARTY WAS GOIN' SO WELL, I FORGOT A' ABOOT YE. COME AN' HAE SOME GINGER ALE TAE SEE IF I CAN MAKE IT UP TAE YE.
OCH, AFTER A' MY CAREFUL PLANNIN', PA. HOW COULD YE?

HA-HA! GOT YE THERE, WULLIE. YE'RE JIST IN TIME FOR THE BELLS!
TEN... NINE... EIGHT...
YE HAD ME GOIN' FOR A MEENIT, YE AULD TWISTER!

A HAPPY NEW YEAR TAE ONE AN A'.

THERE'S ONLY ONE SOLUTION
TAE WULLIE'S NEW YEAR'S RESOLUTION.

2017 IS NEARLY OWER. I'M THINKIN' BACK, I'VE DONE A FEW THINGS THAT ANNOYED FOWK THIS YEAR.
I CANNAE DAE MY NEW YEAR'S RESOLUTIONS UNTIL I SORT THIS YEAR OOT.
I KNOCKED MURDOCH'S HELMET AFF WI' MY CATTY...
SOON...
I'M RICHT SORRY FOR WHEN I KNOCKED YER BUNNET AFF, PC MURDOCH.
YE WEE SCAMP! I THOCHT IT WAS YOU!
I RANG GROUCHY GREY'S DOORBELL AND RAN AWA.
I'M AWFY SORRY, MR GREY.
SO IT WIS YOU!
THEN...
THE BOOT MARKS IN YER PATH WERE ME RUNNIN' HAME FOR MINCE AND TATTIES THE NICHT YE LAID THE CEMENT.
YE WEE BANDIT! I BLAMED BOAB FOR IT!
JUST ONE MAIR.
MA, I HAVE TAE TELL THE TRUTH...
...IT WAS ME WHA KICKED A BA' AFF THAT SHEET A FEW WEEKS AGO.
SPLAT!
YE WEE ROGUE. YE SAID IT WAS A BIG LAD.
I WAS A SCUNNER THIS YEAR, RIGHT ENOUGH.
THERE'S SOME FOWK HERE THAT WANT A WORD WI' YOU, WULLIE.
IT'S TIME TAE TAK' MY PUNISHMENT LIKE A MAN.
NO, WULLIE, YOU WERE A GOOD LAD TAE OWN UP TAE WHAT YOU DID.
WE'LL LET BYGONES BE BYGONES.
SO WE'RE FIRST FOOTIN' YE.
WHAT A BRAW WAY TO START THE YEAR. HAPPY NEW YEAR, A'BODY.